recettes chinoises

maraboutchef

Haute en couleur, riche en saveurs, la cuisine chinoise séduit petits et grands. Elle est en outre assez simple à préparer et ne demande pas beaucoup de temps ni d'expérience. Voici une sélection de recettes parmi les grands classiques de cette cuisine du bout du monde, auxquelles nous avons ajouté quelques nouveautés à notre façon. La plupart des ingrédients dont vous aurez besoin sont faciles à dénicher (aujourd'hui, on trouve un rayon exotique dans la plupart des supermarchés) et un peu d'imagination fera le reste... Préparez votre wok, aiguisez votre fendoir et faites votre choix parmi toutes ces recettes.

Sommaire

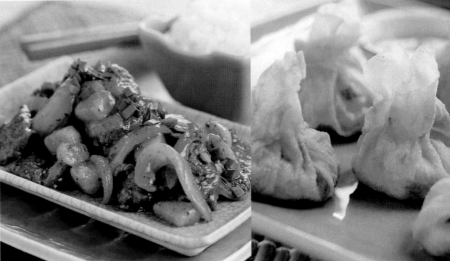

Woks et plats sautés

Le wok est l'instrument idéal pour faire sauter les aliments en utilisant le moins possible de matière grasse. Voici quelques conseils pour bien le choisir et l'utiliser.

Choisir son wok

Il en existe toute une gamme, de tailles et de formes différentes, du wok traditionnel en acier au carbone au wok en fonte, en passant par les woks en acier inoxydable, en aluminium anodisé, antiadhésifs ou encore électriques. Les woks classiques, à base ronde, conviennent bien aux cuisinières à gaz ; ceux à fond plat s'utilisent de préférence sur des plaques électriques. On trouvera un grand choix de modèles dans les épiceries asiatiques, ainsi que la plupart des magasins spécialisés dans l'équipement de la cuisine.

Préparer le wok

Les woks en acier inoxydable et les woks antiadhésifs sont prêts à l'emploi. En revanche, les modèles en acier et en fonte doivent être apprêtés avant leur première utilisation.

Commencez par laver votre wok à l'eau chaude avec du liquide vaisselle afin d'éliminer toute trace de graisse, puis séchez-le avec soin. Placez-le sur une plaque à feu vif. Quand il est bien chaud, frottez l'équivalent de 2 cuillères à soupe d'huile alimentaire sur toute la surface intérieure à l'aide de papier absorbant. Continuez à le faire chauffer 10 à 15 minutes en essuyant de temps en temps avec du papier absorbant. Laissez-le refroidir. Répétez l'opération. Votre wok est prêt à l'emploi.

Après chaque utilisation, nettoyez le wok à l'eau chaude savonneuse ; ne frottez jamais avec de la laine de verre, un tampon à récurer ou tout autre abrasif. Séchez-le parfaitement en le laissant quelques minutes sur une plaque à feu doux et passez une fine couche d'huile sur l'intérieur avant de le ranger, afin d'éviter qu'il ne rouille.

Si vous vous servez régulièrement de votre wok, le métal prendra une teinte plus sombre et finira par se culotter. Plus vous l'utiliserez, meilleurs seront les plats.

Préparez tous les ingrédients à l'avance. Faites chauffer l'huile dans le wok avant d'ajouter les ingrédients ; remuez sans discontinuer en agitant vivement le wok.

Dans le sens des aiguilles d'une montre en partant du haut à gauche : wok en acier inoxydable ; wok en aluminium anodisé ; wok en acier au carbone ; wok en fonte émaillée posé sous un wok en acier au carbone gros calibre antiadhésif.

Réchaud à wok *Il existe des réchauds amovibles pour les cuisinières à gaz ou pour les barbecues.*

Chan ou spatule à wok *Il s'agit d'une mini-pelle à long manche permettant de faire sauter les ingrédients ou de les mélanger. Procurez-vous un chan en bois si vous utilisez un wok antiadhésif.*

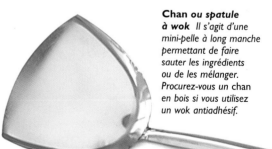

Quelques conseils pour les plats sautés

1 Préparez tous les ingrédients à l'avance.

2 Coupez la viande le plus finement possible dans le sens des fibres. Pour procéder plus facilement, enveloppez-la hermétiquement dans un film plastique, puis faites-la raffermir au congélateur avant de la couper en tranches minces comme des crêpes.

3 Faites bien chauffer le wok avant d'y mettre l'huile.

4 Faites sauter les morceaux de viande, de volaille ou les fruits de mer à feu très vif. Procédez par petites quantités, pour permettre aux morceaux de dorer sur toutes les faces.

5 Il est important de détacher et de mélanger constamment les ingrédients saisis dans le wok, de préférence avec un *chan* ou une spatule en bois.

6 La cuisson au wok nécessite un solide coup de main pour faire saisir les ingrédients et les mélanger en même temps. Pensez à protéger la main qui tient le manche avec un gant de cuisine. Avec un peu d'expérience, vous arriverez sans peine à coordonner vos mouvements.

7 La cuisine au wok se prépare à la dernière minute, car les aliments doivent être juste saisis.

Marinades

• Lorsque vous faites macérer de la viande ou du poisson, prenez soin de faire bouillir le reste de marinade destiné à la préparation de la sauce ou de la vinaigrette.

• Couvrez et conservez toujours vos marinades au réfrigérateur avant utilisation.

L'art d'accommoder le riz

Il existe plusieurs façons de faire cuire le riz. Choisissez celle qui convient le mieux à vos besoins et à vos goûts.

Cuisson par absorption

1. Rincez le riz cru jusqu'à ce que l'eau soit claire.

2. Mélangez le riz et l'eau dans une casserole, puis couvrez ; portez à ébullition.

3. Quand le riz est cuit, décollez les grains avec une fourchette pour éviter qu'ils ne collent.

Cuisson traditionnelle

Portez l'eau à ébullition dans une grande casserole, ajoutez le riz et remuez pour séparer les grains. Faites bouillir sans couvrir, jusqu'à ce que le riz soit tendre, puis égouttez-le et remuez délicatement avec une fourchette pour bien détacher les grains.

Il existe des cuiseurs vapeur ou électriques. Simples à utiliser, ils donnent d'excellents résultats.

Cuisson par absorption

Rincez abondamment le riz sous l'eau froide. Mélangez le riz et l'eau dans une casserole moyenne à fond épais. Couvrez hermétiquement, portez à ébullition, puis baissez au maximum ; laissez cuire à couvert pendant 10 minutes (vérifier la durée sur le paquet). Retirez la casserole du feu ; laissez reposer à couvert pendant 20 minutes, puis remuez délicatement le riz avec une fourchette pour éviter que les grains ne collent.

Cuisson au micro-ondes

Mélangez le riz et l'eau bouillante dans un saladier allant au micro-ondes. Faites cuire, sans couvrir, sur puissance maximale (100 %), jusqu'à ce que le riz soit tendre. Remuez à mi-cuisson (5 minutes environ). Sortez le riz du four, puis couvrez-le et laissez-le reposer 5 minutes. Remuez délicatement avec une fourchette.

Cuisson au four

Préchauffez le four à température moyenne. Mélangez le riz et l'eau bouillante dans un plat allant au four, remuez bien et couvrez hermétiquement avec un couvercle ou du papier aluminium. Laissez cuire à four modéré jusqu'à ce que le riz soit tendre. Remuez délicatement avec une fourchette.

Temps de cuisson du riz

Riz blanc (grain long ou court)

Méthode	Quantité de riz	Quantité d'eau	Temps de cuisson
Absorption	300 g	750 ml	10 mn
Micro-ondes*	300 g	750 ml	10 mn
Au four	300 g	625 ml	25 mn
Ébullition	300 g	2 l	12 mn

*Les indications sont données pour un four à micro-ondes de 830 watts.

- 1 tasse de riz blanc non cuit pèse 200 g.
- Le riz blanc triple presque de volume en cuisant.
- Conservez le riz non cuit dans un sac ou un récipient hermétiquement fermé, dans un endroit frais et obscur. Vérifiez la date limite d'utilisation.
- On peut conserver des restes de riz cuit jusqu'à deux jours au réfrigérateur, à condition de les couvrir avec un film alimentaire.
- Le riz cuit se congèle bien. Placez-le dans un sac à congélation ; expulsez bien l'air. Scellez, puis indiquez la date. Vous pouvez le garder ainsi jusqu'à 2 mois.
- Le riz complet doit cuire plus longtemps que le riz blanc (environ 40 minutes). On trouve cependant des riz complets précuits, qui demandent seulement 20 minutes de cuisson. Intéressant pour les plus pressés…

Comment faire réchauffer le riz

Le temps de réchauffage dépend de la quantité de riz.

- Mettez le riz dans une passoire en métal que vous posez sur une casserole d'eau frémissante. Couvrez et laissez chauffer.
- Versez juste assez d'eau dans une poêle pour en recouvrir à peine le fond. Portez à ébullition, ajoutez le riz, couvrez ; laissez cuire jusqu'à ce que toute l'eau soit absorbée.
- Étalez le riz dans un plat peu profond allant au four, que vous aurez graissé au préalable. Vaporisez avec un peu d'eau, puis posez quelques petits morceaux de beurre. Couvrez et faites chauffer au four à température modérée.
- Faites chauffer un peu de beurre ou d'huile dans un wok ou une poêle à frire, ajoutez le riz, remuez avec un *chan* ou une spatule en bois jusqu'à ce que le riz soit bien chaud.
- Mettez le riz dans un plat à micro-ondes, couvrez ; faites réchauffer au micro-ondes sur puissance maximale (100 %).

Soupes et dim sum

Les soupes chinoises et les *dim sum* (littéralement « qui touchent le cœur ») font aussi bien office d'entrée que de plat principal. Leurs parfums subtils et leurs riches saveurs sauront toucher les papilles les plus délicates et séduire les convives les plus difficiles.

Marmite de Mongolie

Pour 4 à 6 personnes.

PRÉPARATION 30 MINUTES • CUISSON 20 MINUTES

La marmite utilisée pour cette recette s'achète dans les magasins de produits asiatiques. C'est un grand récipient que l'on pose au milieu de la table et dans lequel chaque convive fait cuire les ingrédients de son choix. De petites passoires (voir illustration) permettent de retirer les aliments de la marmite pour les transférer dans des petits bols individuels. Quand tout a été dégusté, le bouillon termine agréablement le repas.

Coupez le bœuf en tranches fines.

Détaillez le tofu.

250 g de filet de bœuf

250 g de filet de porc

350 g de blancs de poulet

500 g de filets de poisson blanc sans arêtes

500 g de crevettes moyennes crues

24 huîtres présentées sur leurs coquilles

230 g de pousses de bambou, égouttées, en tranches fines

125 g de jeunes épis de maïs

425 g de champignons parfumés en boîte, égouttés, coupés en deux

1 carotte moyenne (120 g), émincée

300 g de chou chinois, coupé grossièrement

300 g de bok choy (ou de blettes), coupé grossièrement

120 g de germes de soja

125 g de pois mange-tout

150 g de tofu, coupé en cubes

100 g de vermicelles de soja

2,5 l de bouillon de poule bouillant

1 Coupez le bœuf, le porc, le poulet et le poisson en tranches très fines. Décortiquez et retirez la veine des crevettes en laissant les queues intactes. Disposez la viande, le poisson et les crustacés sur un plat de service.

2 Répartissez les autres ingrédients, hormis le bouillon, sur d'autres plats.

3 Versez le bouillon dans la marmite préparée.

Préparation de la marmite Utilisez des billes allume-feu spécial barbecue. Il faut les enflammer (de préférence dans un barbecue), puis les laisser brûler jusqu'à ce qu'elles soient chauffées à blanc. Pendant ce temps, posez la marmite sur une épaisse planche pour protéger votre table de service, puis, à l'aide de pinces, transférez rapidement les billes dans la cheminée du pot.

Suggestion de présentation Mettez sur la table des petits bols de sauce de soja légère, de sauces hoisin et aux piments.

L'ASTUCE DU CHEF

On peut remplacer la marmite traditionnelle par un caquelon ou un poêlon à frire électrique.

Soupe au tofu frit et aux petits légumes

Pour 4 personnes.

PRÉPARATION 15 MINUTES • CUISSON 10 MINUTES

1 carotte moyenne (120 g)

100 g de pois mange-tout

**420 g de jeunes épis de maïs
   en boîte, égouttés**

**1,5 l de bouillon de légumes
   ou de poule**

2 gros piments rouges, émincés

2 ciboules, émincées

1 c. s. de vinaigre de riz

2 c. s. de sauce de soja légère

**140 g de bok choy (ou de blettes),
   en lanières**

**100 g de tofu frit, en tranches
   fines**

1 Coupez la carotte et les pois mange-tout en lanières longues et fines. Coupez le maïs en quatre dans le sens de la longueur.

2 Portez le bouillon à ébullition dans une grande casserole. Ajoutez la carotte, le maïs, les piments, la ciboule, le vinaigre et la sauce de soja ; laissez mijoter pendant 2 minutes sans couvrir. Incorporez les pois mange-tout, le bok choy et le tofu. Faites cuire en remuant jusqu'à ce que le bok choy soit juste tendre.

Détaillez les carottes et pois mange-tout en lanières.

Coupez le tofu en tranches.

Coupez le porc en tranches.

Détaillez le chou chinois en lanières.

Soupe chinoise

Pour 4 personnes.

PRÉPARATION 10 MINUTES • CUISSON 10 MINUTES

250 g de filet de porc

1,5 l de bouillon de poule

8 ciboules, émincées

160 g de chou chinois, en lanières

1 c. c. de gingembre, frais râpé

2 c. s. de sauce de soja légère

1 c. s. de xérès

125 g de nouilles fraîches aux œufs, fines

40 g de feuilles de coriandre fraîche

40 g de germes de soja

1 Ôtez la graisse et les tendons du porc. Coupez-le en tranches fines et détaillez chaque tranche en fines lanières.

2 Portez le bouillon à ébullition dans une grande casserole. Incorporez le porc, la ciboule, le chou, le gingembre, la sauce de soja, le xérès et les nouilles. Laissez mijoter sans couvrir jusqu'à ce que les nouilles et le porc soient juste tendres.

3 Servez la soupe dans des bols individuels ; garnissez de coriandre et de germes de soja.

Soupe aux raviolis de porc chinois

Pour 4 à 6 personnes.

PRÉPARATION 35 MINUTES • CUISSON 10 MINUTES

100 g de nouilles fines aux œufs

5 champignons shiitake, séchés

600 g de grosses crevettes crues

2 l de bouillon de poule

80 g de chou chinois, en fines lanières

2 c. s. de sauce de soja légère

1 c. s. de xérès

100 g de porc chinois au barbecue, tranché

4 ciboules, émincées

40 g de germes de soja

1 c. s. de feuilles de coriandre fraîche, hachées menu

Raviolis

100 g de porc, haché

1 gousse d'ail, pilée

1 c. c. de gingembre frais, râpé

1 c. s. de feuilles de coriandre fraîche, hachées menu

2 c. c. de sauce de soja légère

12 feuilles de pâte pour raviolis

1 œuf, légèrement battu

Émincez les chapeaux de shiitake.

Ôtez la veine des crevettes en laissant la queue intacte.

Confectionnez les raviolis.

1 Faites cuire les nouilles dans une grande casserole d'eau bouillante, sans couvrir, jusqu'à ce qu'elles soient tendres, puis rincez sous l'eau froide ; égouttez. Mettez les champignons dans un bol résistant à la chaleur, recouvrez d'eau bouillante et laissez reposer pendant 20 minutes ; égouttez. Jetez les pieds, émincez les chapeaux. Décortiquez et ôtez les veines des crevettes en laissant les queues intactes.

2 Portez le bouillon à ébullition dans une grande casserole, incorporez les champignons, le chou, la sauce de soja, le xérès et les raviolis ; laissez mijoter, sans couvrir, pendant 5 minutes. Ajoutez les crevettes et continuez à faire cuire à feu doux sans couvrir jusqu'à ce qu'elles changent de couleur. Ajoutez les nouilles, le porc, la ciboule, les germes de soja et la coriandre.

Raviolis Dans un bol, mélangez le porc, l'ail, le gingembre, la coriandre et la sauce. Déposez des cuillerées à café bien tassées de ce mélange au milieu des carrés de pâte ; badigeonnez légèrement les bords d'œuf. Rapprochez les coins opposés au centre du ravioli et pressez bien le pourtour pour sceller.

Séparez les nouilles hokkien à la fourchette.

Pilez le mélange à la citronnelle.

Soupe à la sichuanaise

Pour 4 à 6 personnes.

PRÉPARATION 15 MINUTES • CUISSON 10 MINUTES

250 g de nouilles hokkien

1 c. c. de citronnelle fraîche, hachée grossièrement

2 gousses d'ail, coupées en quatre

1 c. c. de coriandre en poudre

1 1/2 c. c. de poivre du Sichuan

1 c. c. de gingembre frais, râpé

1 c. s. d'eau

2 c. c. d'huile d'arachide

1,25 l de bouillon de bœuf

250 ml d'eau, supplémentaires

200 g de rumsteck, en tranches fines

170 g de blancs de poulet, en tranches fines

2 c. c. de sauce de soja épaisse

1 c. s. de feuilles de coriandre fraîche, hachées grossièrement

80 g de germes de soja

80 g de feuilles de coriandre fraîche, supplémentaires

1 Rincez les nouilles sous l'eau chaude et égouttez-les. Transférez-les dans un saladier et séparez-les à l'aide d'une fourchette.

2 Avec un mortier et un pilon (ou dans un mixeur), écrasez la citronnelle, l'ail, la coriandre, le poivre et le gingembre en ajoutant progressivement l'eau et l'huile jusqu'à obtention d'une pâte homogène.

3 Faites cuire ce mélange dans une grande casserole en remuant bien jusqu'à ce qu'il embaume. Ajoutez le bouillon et l'eau supplémentaire, portez à ébullition ; laissez mijoter pendant 5 minutes sans couvrir. Incorporez le bœuf, le poulet et la sauce de soja ; faites cuire à feu doux encore 5 minutes sans couvrir. Ajoutez les nouilles, la coriandre hachée et la moitié des germes de soja. Servez la soupe dans des bols individuels ; garnissez avec le reste des germes de soja et des feuilles de coriandre.

Soupe au poulet et au maïs

Pour 4 personnes.

PRÉPARATION 10 MINUTES • CUISSON 10 MINUTES

1,5 l de bouillon de poule

1 c. c. de gingembre frais râpé

**425 g de crème de maïs,
en conserve**

1 c. c. d'huile de sésame

340 g de poulet cuit, émincé

**100 g de jambon, en tranches
émincées**

35 g de Maïzena

60 ml d'eau

1 c. s. de sauce de soja légère

2 blancs d'œufs

2 c. s. d'eau, supplémentaires

3 ciboules, émincées

1 Portez le bouillon à ébullition dans une grande casserole ; incorporez le gingembre, la crème de maïs, l'huile de sésame, le poulet et le jambon. Mélangez la Maïzena et l'eau dans un petit bol, ajoutez-y la sauce de soja ; incorporez le tout au bouillon, remuez bien sur le feu jusqu'à ébullition de la soupe qui doit épaissir légèrement.

2 Ajoutez progressivement à la soupe qui mijote les blancs d'œufs mélangés à l'eau supplémentaire, en un mince filet. Servez la soupe dans des bols ; garnissez avec la ciboule.

Râpez le gingembre frais.

Émincez finement le poulet cuit.

Soupe aux raviolis de poulet et au bok choy

Pour 4 à 6 personnes.

PRÉPARATION 20 MINUTES • CUISSON 10 MINUTES

1,5 l de bouillon de poule

1 c. s. de vin de riz chinois

1 c. s. de sauce de soja légère

1/2 c. c. d'huile de sésame

300 g de bok choy (ou de blettes), en lanières

2 ciboules, émincées

2 petits piments rouges, en lanières

Raviolis

150 g de poulet haché

2 ciboules, émincées

2 c. c. de sauce aux huîtres

18 carrés de pâte pour raviolis

1 œuf, légèrement battu

1 Portez le bouillon à ébullition dans une grande casserole, ajoutez le vin de riz, la sauce de soja, l'huile et les raviolis ; faites cuire à feu doux pendant 5 minutes sans couvrir.

2 Ajoutez le bok choy, la ciboule et les piments ; laissez mijoter sans couvrir jusqu'à ce que le bok choy soit juste tendre.

Raviolis Dans un bol, mélangez le poulet, la ciboule et la sauce aux huîtres. Déposez des cuillerées bien tassées de ce mélange au milieu des carrés de pâte ; badigeonnez légèrement les bords avec un peu d'œuf battu. Repliez la pâte de moitié en diagonale pour former des raviolis triangulaires et pincez le long de la bordure pour sceller le tout.

Confectionnez des raviolis triangulaires.

Émincez les chapeaux des champignons.

Incorporez dans la soupe les blancs d'œufs mélangés à l'eau.

Soupe au crabe

Pour 4 personnes.

PRÉPARATION 20 MINUTES • CUISSON 15 MINUTES

5 champignons shiitake, séchés

1 c. c. d'huile de sésame

2 œufs, légèrement battus

1,5 l de bouillon de poule

8 ciboules, hachées menu

1 c. c. de gingembre frais, râpé

50 g de pousses de bambou en conserve, égouttées, en tranches fines

200 g de chair de crabe cuite, ou en conserve

125 g de noix de Saint-Jacques

35 g de Maïzena

60 ml d'eau

1 c. s. de sauce de soja légère

1 c. s. de xérès

2 blancs d'œufs, légèrement battus

2 c. s. d'eau, supplémentaires

1 Mettez les champignons dans un bol résistant à la chaleur, recouvrez d'eau bouillante et laissez reposer pendant 20 minutes ; égouttez. Jetez les pieds, émincez les chapeaux.

2 Pendant ce temps, faites chauffer l'huile dans le wok ou une grande poêle, ajoutez les œufs ; faites tourner le récipient afin de former une omelette mince. Laissez cuire jusqu'à ce que l'omelette soit ferme ; retirez-la du feu. Attendez qu'elle refroidisse, puis roulez-la et coupez-la en tranches fines.

3 Portez le bouillon à ébullition dans une grande casserole. Ajoutez les champignons, la ciboule, le gingembre, les pousses de bambou, la chair de crabe émiettée et les noix de Saint-Jacques ; laissez mijoter pendant 2 minutes sans couvrir. Mélangez la Maïzena à l'eau dans un bol ; incorporez la sauce de soja et le xérès. Ajoutez progressivement ce mélange à la soupe ; remuez délicatement sur le feu jusqu'à ébullition de la soupe qui doit épaissir légèrement.

4 Juste avant de servir, incorporez peu à peu dans la soupe les blancs d'œufs mélangés à l'eau supplémentaire en un mince filet ; remuez bien. Ajoutez les tranches d'omelette.

Raviolis frits

40 raviolis.

PRÉPARATION 40 MINUTES • CUISSON 10 MINUTES

5 champignons shiitake, séchés
250 g de porc, haché
4 ciboules, émincées
1 c. s. de xérès
1 c. s. de sauce hoisin
1 gousse d'ail, pilée
1 c. c. de gingembre frais, râpé
150 g de bok choy (ou de blettes), en fines lanières
40 carrés de pâte pour raviolis
1 œuf, légèrement battu
huile végétale pour friture

Sauce

2 c. s. de sauce aux piments douce
1 c. c. de sauce de soja légère
1 c. s. de vin de riz chinois
1 c. s. d'eau
1/2 c. c. de sucre

Disposez la farce au milieu d'un morceau de pâte.

Rabattez la pâte et pincez les bords.

1 Mettez les champignons dans un bol résistant à la chaleur, recouvrez d'eau bouillante et laissez reposer pendant 20 minutes ; égouttez. Jetez les pieds, coupez les chapeaux en tranches fines. Mélangez les champignons dans un bol avec le porc, la ciboule, le xérès, la sauce hoisin, l'ail, le gingembre et le bok choy.

2 Déposez une cuillerée bien tassée de ce mélange au milieu d'un carré de pâte et badigeonnez légèrement les bords d'œuf battu. Pliez la pâte en deux ; pincez la bordure pour bien sceller. Badigeonnez d'œuf les coins du ravioli, puis pressez-les l'un contre l'autre. Répétez l'opération avec les autres carrés de pâte et le reste du mélange. Faites frire les raviolis par petites quantités dans de l'huile bouillante jusqu'à ce qu'ils soient bien cuits et légèrement dorés ; égouttez sur du papier absorbant. Servez avec la sauce aux piments doux.

Sauce Mélangez tous les ingrédients dans un bol.

Sang choy bow

Pour 4 personnes.

PRÉPARATION 20 MINUTES • CUISSON 15 MINUTES

Les nouilles utilisées pour cette recette sont vendues dans les supermarchés sous le nom de « nouilles frites croustillantes aux œufs ».

4 champignons shiitake, séchés

1 c. s. d'huile d'arachide

200 g de porc haché

200 g de poulet haché

6 ciboules, coupées grossièrement

1 gousse d'ail pilée

50 g de pousses de bambou en conserve, coupées finement

230 g de châtaignes d'eau, égouttées, coupées grossièrement

2 c. c. d'huile de sésame

2 c. s. de sauce de soja légère

2 c. s. de sauce aux huîtres

2 c. c. de Maïzena

1 c. s. de xérès

100 g de nouilles frites

80 g de germes de soja, coupés grossièrement

2 ciboules, émincées, supplémentaires

8 grandes feuilles de laitue

1 Mettez les champignons dans un bol résistant à la chaleur, recouvrez d'eau bouillante, laissez reposer pendant 20 minutes ; égouttez. Jetez les pieds ; coupez grossièrement les chapeaux.

2 Faites chauffer l'huile d'arachide dans un wok ou une grande poêle ; faites sauter le porc et le poulet jusqu'à ce qu'ils soient bien cuits. Ajoutez les champignons, la ciboule, l'ail, les pousses de bambou, les châtaignes d'eau, l'huile de sésame, les sauces et la Maïzena mélangée au xérès ; faites revenir le tout pendant 2 minutes. Au moment de servir, incorporez les nouilles, les germes de soja et le reste de la ciboule. Répartissez le mélange entre les feuilles de laitue et régalez-vous !

Coupez finement les pousses de bambou.

Détachez les feuilles de laitue.

Pliez les carrés de pâte pour raviolis en deux.

Faites frire les raviolis en petites quantités.

Raviolis végétariens

32 raviolis.

PRÉPARATION 20 MINUTES • CUISSON 10 MINUTES

32 carrés de pâte pour raviolis
I œuf, légèrement battu
huile végétale pour friture

Farce

4 ciboules, émincées

I gousse d'ail, pilée

I petite carotte (70 g), râpée

40 g de chou chinois, en fines laniéres

I c. s. de sauce hoisin

I c. s. de feuilles de coriandre fraîche

100 g de tofu ferme, coupé finement

1   Déposez une cuillerée bien tassée de farce au milieu de chaque carré de pâte ; badigeonnez légèrement le bord d'œuf. Pliez-le en deux ; pincez pour sceller le tout. Répétez l'opération avec le reste des carrés et de la garniture.

2   Faites frire les raviolis par petites quantités dans de l'huile chaude, jusqu'à ce qu'ils soient bien cuits et légèrement dorés. Égouttez sur du papier absorbant.

3   Servez les raviolis avec de la sauce de soja légère et des piments frais hachés.

Farce   Mélangez tous les ingrédients dans un bol ; remuez délicatement.

Ailes de poulet farcies

12 ailes farcies.

PRÉPARATION 40 MINUTES • CUISSON 50 MINUTES

12 grosses ailes de poulet (1,5 kg)
3 champignons shiitake, séchés
500 g de poulet, haché
1 c. s. de sauce aux huîtres
¼ c. c. de cinq-épices
4 ciboules, émincées
2 gousses d'ail, pilées
2 c. c. de gingembre frais, râpé
1 c. c. de sambal oelek
1 c. s. de Maïzena

Glaçage
2 c. s. de sauce aux huîtres
1 c. s. de miel
1 c. s. de xérès

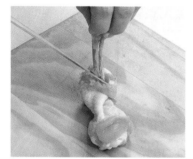

Repoussez la chair vers l'articulation médiane.

Tordez l'os et ôtez-le.

Attachez les extrémités des ailes avec des cure-dents.

1 En tenant l'extrémité de la troisième grande articulation des ailes, taillez délicatement autour de l'os avec un couteau. Coupez, grattez et repoussez la chair vers l'articulation médiane sans entamer la peau. Tordez l'os, ôtez-le et jetez-le. Avec les doigts, séparez la peau de l'os de l'articulation médiane.

2 Mettez les champignons dans un bol résistant à la chaleur, recouvrez d'eau bouillante et laissez reposer pendant 20 minutes ; égouttez. Ôtez les pieds et émincez les chapeaux.

3 Mélangez le poulet haché aux champignons et au reste des ingrédients dans un bol ; remuez bien. Avec les doigts, remplissez les cavités des ailes de ce mélange, en attachant les extrémités à l'aide de cure-dents.

4 Disposez les ailes, en une seule couche, dans un grand plat huilé allant au four ; faites cuire, sans couvrir, à température modérée pendant 50 minutes environ jusqu'à ce qu'elles soient bien cuites et dorées, en les badigeonnant de temps en temps avec le glaçage pendant la cuisson.

Glaçage Mélangez les ingrédients dans un bol.

Entaillez le dos des crevettes dans la longueur.

Aplatissez délicatement les crevettes sur le pain.

Crevettes sur canapés

16 canapés.

PRÉPARATION 30 MINUTES • CUISSON 15 MINUTES

16 grosses crevettes crues

2 œufs, légèrement battus

50 g de Maïzena

8 tranches de pain blanc épaisses

1 ciboule, émincée

huile végétale pour friture

Sauce aux piments douce

60 ml de sauce aux piments douce

60 ml de bouillon de poule

2 c. c. de sauce de soja

1 Décortiquez et ôtez la veine des crevettes en laissant les queues intactes. Entaillez-les le long du dos sans séparer les deux moitiés. Dans un bol, mélangez les crevettes ainsi aplaties avec les œufs et la Maïzena ; mélangez bien.

2 Ôtez et jetez la croûte du pain ; coupez les tranches en deux. Placez une crevette, côté coupé, sur chaque tranche en l'aplatissant doucement. Parsemez-la de ciboule, tassez bien.

3 Faites chauffer l'huile dans un wok ou une grande poêle à frire ; déposez avec soin les canapés aux crevettes dans l'huile bouillante, par petites quantités. Faites-les frire jusqu'à ce qu'ils soient cuits et bien dorés. Égouttez sur du papier absorbant. Servez avec la sauce aux piments douce.

Sauce aux piments douce Mélangez les ingrédients dans un bol.

Ailes de poulet marinées

24 pièces.

PRÉPARATION 40 MINUTES • MARINADE 3 HEURES • CUISSON 25 MINUTES

12 ailes de poulet (1,5 kg)
60 ml de sauce de soja légère
2 gousses d'ail, pilées
2 c. c. de gingembre frais, râpé
1 c. s. de sucre brun
1 c. s. de xérès
1 c. s. d'huile d'arachide
2 c. s. de miel

1 Ôtez et jetez le bout des ailes ; coupez les ailes en deux au niveau de l'articulation. En tenant chaque morceau par la petite extrémité, taillez autour de l'os pour dégager la chair ; coupez, grattez et repoussez la viande vers le bout le plus large. L'une des moitiés comporte un os supplémentaire, plus fin ; enlevez-le et jetez-le.

2 Tirez la peau et la viande vers l'extrémité de l'os ; chaque aile ressemblera à une petite baguette de tambour.

3 Mélangez les morceaux de poulet avec les autres ingrédients dans un saladier. Couvrez, puis conservez pendant 3 heures, ou toute une nuit, au réfrigérateur.

4 Faites chauffer un wok ou une grande poêle ; faites cuire le poulet à couvert sans l'égoutter pendant 10 minutes, ou jusqu'à ce qu'il soit presque cuit. Retirez le couvercle et laissez mijoter en remuant de temps en temps pendant 5 minutes environ, jusqu'à ce que le poulet soit cuit et bien doré.

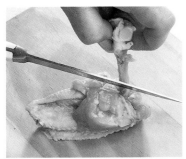

Taillez autour de l'os pour dégager la chair.

Ôtez et jetez le plus petit os.

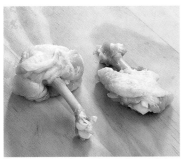

Tirez la peau et la viande vers l'extrémité de l'os.

Pâtés impériaux

18 pâtés impériaux.

PRÉPARATION 30 MINUTES • CUISSON 10 MINUTES

18 galettes de riz pour pâtés impériaux
1 œuf, légèrement battu
huile végétale pour friture

Garniture

2 champignons shiitake, séchés
250 g de crevettes crues
2 c. c. d'huile d'arachide
100 g de porc, haché
1 gousse d'ail, pilée
40 g de chou chinois, coupé en fines lanières
1 petite carotte (70 g), râpée finement
1 c. c. de gingembre frais, râpé
2 c. s. de sauce aux huîtres

Sauce aux prunes

2 c. s. de sauce aux prunes
2 c. s. d'eau
1 c. s. de sauce de soja légère
1/2 c. c. de gingembre frais, râpé

Hachez menu les chapeaux des champignons.

Roulez le carré de pâte pour enfermer la garniture.

1 Déposez une cuillerée rase de garniture dans un coin de chaque carré ; badigeonnez légèrement les bords d'œuf, roulez pour enfermer la garniture en repliant les bords. Répétez l'opération avec le reste des ingrédients.

2 Faites frire les pâtés par petites quantités dans l'huile bouillante, jusqu'à ce qu'ils soient cuits et bien dorés ; égouttez sur du papier absorbant.

Garniture Mettez les champignons dans un bol résistant à la chaleur, recouvrez d'eau bouillante, laissez reposer pendant 20 minutes. Égouttez. Jetez les pieds, et hachez menu les chapeaux. Pendant ce temps, décortiquez et ôtez la veine des crevettes ; coupez-les finement. Faites chauffer l'huile dans un wok ou une grande poêle à frire, incorporez le porc et l'ail ; faites sauter pendant 1 minute. Ajoutez le chou, la carotte, le gingembre et la sauce aux huîtres ; mélangez bien, puis laissez refroidir.

Sauce aux prunes Mélangez tous les ingrédients dans un bol.

Rouleaux végétariens

Pour 8 personnes.

PRÉPARATION 30 MINUTES • CUISSON 5 MINUTES

2 champignons shiitake, séchés

150 g de tofu ferme

8 galettes de riz, rondes

150 g de bok choy (ou de blettes), émincé

1 ciboule, émincée

1 c. s. d'oignons frits en bocal

Sauce de soja

1 c. s. de sauce de soja légère

1 c. c. de vin de riz chinois

1/2 c. c. de sambal oelek

1/2 c. c. d'huile de sésame

1 Mettez les champignons dans un bol résistant à la chaleur, recouvrez d'eau bouillante, laissez reposer pendant 20 minutes ; égouttez. Ôtez les pieds, et tranchez finement les chapeaux. Coupez le tofu en 8 tranches, puis mélangez dans un bol avec 2 cuillères à café de sauce de soja.

2 Faites tremper les galettes de riz dans un bol d'eau chaude l'une après l'autre pendant 1 minute environ, jusqu'à ce qu'elles soient légèrement ramollies ; sortez-les délicatement de l'eau, disposez-les sur une planche et séchez-les en les tapotant avec du papier absorbant. Posez sur chaque galette une tranche de tofu, un peu de bok choy, de ciboule et de champignon. Rabattez la galette sur les légumes ; repliez les bords et roulez pour faire comme un « paquet ».

3 Placez les rouleaux, le tofu sur le dessus, en une seule couche, dans un cuiseur à vapeur en bambou garni de papier cuisson ; faites cuire à feu doux, à couvert, au-dessus d'un wok ou d'une grande poêle remplie d'eau pendant 5 minutes environ, jusqu'à ce qu'ils soient bien chauds. Servez accompagnés de la sauce de soja et d'oignons frits.

Sauce de soja Mélangez les ingrédients dans un bol.

Trempez les galettes de riz dans de l'eau pour les ramollir.

Repliez la galette pour faire un « paquet ».

Entaillez les encornets en résille.

Faites sauter les encornets par petites quantités.

Encornets à l'ail et aux piments

Pour 4 personnes.

PRÉPARATION 20 MINUTES • MARINADE 3 HEURES • CUISSON 15 MINUTES

1 kg d'encornets, parés

2 c. c. d'huile d'arachide

300 g de chou chinois, en lanières

40 g de feuilles de coriandre fraîche

1 petit piment rouge, émincé

Pâte de piments

2 c. s. d'huile d'arachide

4 gousses d'ail, coupées

4 piments rouges, émincés

1 c. s. de gingembre frais, râpé

1 c. s. de vinaigre blanc

1 c. s. de miel

1 Coupez les encornets en deux ; entaillez-les superficiellement en résille sur la face intérieure, puis coupez en morceaux de 5 centimètres. Mélangez les encornets à la pâte de piments dans un saladier. Couvrez et conservez au réfrigérateur pendant 3 heures ou toute une nuit.

2 Égouttez les encornets au-dessus d'un bol ; réservez la marinade. Faites chauffer l'huile dans un wok ou une grande poêle à frire ; faites sauter les encornets par petites quantités, jusqu'à ce qu'ils soient tendres et bien dorés. Incorporez la marinade, portez à ébullition, puis laissez mijoter, sans couvrir, jusqu'à ce que le mélange forme un glaçage épais. Remettez les encornets dans le wok, remuez pour bien les enduire de sauce. Servez sur du chou chinois coupé en lanières et garnissez de coriandre et de piment.

Pâte de piments Mixez les ingrédients ensemble jusqu'à obtention d'un mélange lisse.

Rouleaux au poulet et au jambon

Pour 4 à 6 personnes.

PRÉPARATION 30 MINUTES • CUISSON 20 MINUTES

2 blancs de poulet, détaillés en 4 filets (680 g)
1/4 c. c. de cinq-épices
1 gousse d'ail, pilée
1 c. c. d'huile de sésame
2 ciboules, émincées
4 tranches de jambon
farine
1 œuf, légèrement battu
1 c. s. de lait
4 grandes galettes de riz pour pâtés impériaux
huile végétale pour friture

Sauce aigre-douce

80 ml de jus d'ananas
60 ml d'eau
1/2 c. s. de sucre brun
1 c. s. de sauce tomate
1 c. s. de sauce de soja
1 c. c. de Maïzena
2 c. s. de vinaigre blanc
1 ciboule, émincée

Aplatissez les blancs de poulet.

Roulez le blanc pour enfermer le jambon.

1 À l'aide d'un maillet à viande, aplatissez les blancs de poulet entre deux feuilles de film plastique jusqu'à ce qu'ils ne fassent plus que 5 millimètres d'épaisseur. Garnissez ensuite du mélange de cinq-épices, d'ail, d'huile de sésame et de ciboule. Roulez une tranche de jambon, posez-la sur un blanc. Roulez fermement le blanc, à partir du côté le plus long, autour du jambon pour l'enfermer en repliant les bords au fur et à mesure. Répétez l'opération avec le reste des ingrédients.

2 Plongez les rouleaux de poulet dans la farine, secouez pour en éliminer l'excès. Enduisez d'œuf et de lait mélangés. Placez un rouleau en diagonale sur un carré de pâte, badigeonnez légèrement les bords du mélange lait-œuf. Repliez les extrémités et roulez pour enfermer le poulet. Répétez l'opération avec les autres ingrédients.

3 Faites frire les rouleaux de poulet dans l'huile chaude pendant 10 minutes environ, ou jusqu'à ce qu'ils soient cuits et légèrement dorés (veillez à ne pas trop chauffer l'huile ; sinon les rouleaux bruniront avant de cuire). Égouttez sur du papier absorbant ; coupez en diagonale en grosses tranches. Servez avec la sauce aigre-douce.

Sauce aigre-douce Mélangez le jus d'ananas, l'eau, le sucre et les sauces dans une petite casserole ; ajoutez la Maïzena préalablement travaillée avec le vinaigre. Faites chauffer en remuant jusqu'à ébullition de la sauce, qui doit légèrement épaissir. Incorporez la ciboule.

Faites de petites boules de farce.

Formez des aumônières et formez la pâte
en pressant fort.

Raviolis de poulet à la vapeur

30 raviolis.

PRÉPARATION 40 MINUTES • RÉFRIGÉRATION 30 MINUTES • CUISSON 10 MINUTES

2 champignons shiitake, séchés

500 g de poulet, haché

2 ciboules, émincées

**1 c. s. de ciboulette fraîche,
coupée**

2 gousses d'ail, pilées

2 c. c. de gingembre frais, râpé

1/4 c. c. de cinq-épices

75 g de chapelure

2 c. s. de sauce hoisin

1 c. c. d'huile de sésame

1 œuf, légèrement battu

30 carrés de pâte pour raviolis

1 c. s. de sauce barbecue chinoise

1 c. s. de sauce de soja légère

2 c. s. d'eau

2 c. c. de sauce aux piments douce

1 Mettez les champignons dans un bol résistant à la chaleur, recouvrez d'eau bouillante, laissez reposer pendant 20 minutes ; égouttez. Ôtez les pieds, et émincez les chapeaux.

2 Mélangez les champignons, le poulet, la ciboule, la ciboulette, l'ail, le gingembre, le cinq-épices, la chapelure, la sauce hoisin, l'huile et l'œuf dans un saladier. Faites des boulettes à partir de cuillerées à soupe rases de ce mélange ; vous devriez en obtenir une trentaine. Disposez sur des plateaux. Couvrez et réservez pendant 30 minutes au réfrigérateur.

3 Badigeonnez 1 carré de pâte avec un peu d'eau, garnissez-le d'une boulette. Répétez l'opération avec les autres boulettes et le reste des carrés de pâte. Disposez les raviolis, en une seule couche, à 2 centimètres d'écart environ dans un cuiseur à vapeur en bambou garni de papier cuisson. Faites cuire à couvert, à feu doux, au-dessus d'un wok ou une grande poêle contenant de l'eau frémissante pendant 8 minutes environ, jusqu'à ce qu'ils soient cuits.

4 Mélangez les ingrédients restants dans un bol et servez cette sauce en accompagnement pour tremper les raviolis.

Aumônières de poisson à la sauce citron

24 aumônières.

PRÉPARATION 20 MINUTES • CUISSON 10 MINUTES

500 g de filets de poisson blanc et ferme, sans arêtes, coupés en morceaux

4 ciboules, émincées

1 c. c. de gingembre frais, râpé

1 gousse d'ail, pilée

3 c. c. de sauce barbecue chinoise

24 carrés de pâte pour pâtés impériaux

1 œuf, légèrement battu

huile végétale pour friture

Sauce citron

2 c. c. de Maïzena

2 c. s. de jus de citron

1 c. c. de sauce de soja légère

125 ml de bouillon de poule

1/2 c. c. de sucre brun

1 Mixez le poisson jusqu'à obtention d'une pâte. Mélangez celle-ci dans un bol avec la ciboule, le gingembre, l'ail et la sauce barbecue. Déposez 1 cuillère à soupe rase de ce mélange au milieu d'un carré de pâte ; badigeonnez légèrement la bordure d'œuf battu. Rassemblez les bords de manière à former un paquet ; pincez bien pour sceller. Répétez l'opération avec le reste du poisson et des carrés de pâte.

2 Faites frire les aumônières par petites quantités dans l'huile chaude, jusqu'à ce qu'elles soient cuites et légèrement dorées (ne faites pas trop chauffer l'huile de peur que les aumônières brunissent) ; égouttez sur du papier absorbant. Servez avec la sauce citron.

Sauce citron Mélangez la Maïzena et le jus de citron dans une petite casserole, puis incorporez les autres ingrédients ; faites chauffer en remuant jusqu'à ébullition de la sauce qui doit légèrement épaissir.

Coupez les filets de poisson.

Façonnez les carrés de pâte garnis en forme d'aumônières.

Les plats principaux

La cuisine chinoise propose une très grande variété de plats se déclinant autour de quelques aliments de base comme le porc, le canard, le bœuf ou les crevettes. Aussi avons-nous dû faire un choix serré parmi toutes ces recettes, en espérant qu'elles sauront vous réjouir comme elles l'ont fait pour nous…

Crabe à la sauce de haricots noirs

Pour 4 personnes.

PRÉPARATION 30 MINUTES • CUISSON 20 MINUTES

2 crabes frais (1,5 kg chacun)
1 1/2 c. s. de haricots de soja noirs salés, en conserve
1 c. s. d'huile d'arachide
1 gousse d'ail pilée
1 c. c. de gingembre frais, râpé
1/2 c. c. de sambal oelek
1 c. s. de sauce de soja légère
1 c. c. de sucre
1 c. s. de vin de riz chinois
180 ml de bouillon de poulet
2 ciboules, émincées

1 Mettez les crabes vivants dans le congélateur pendant au moins 2 heures (c'est la méthode la moins cruelle pour les tuer). Glissez un couteau pointu et solide sous la carapace à l'arrière ; faites levier pour soulever la carapace et jetez-la.

2 Ôtez et jetez les branchies, lavez les crabes avec soin. Coupez-les en quatre à l'aide d'un fendoir. Retirez les pinces et les pattes. Détaillez les pinces en gros morceaux.

3 Rincez bien les haricots sous l'eau froide ; égouttez, puis réduisez en purée. Faites chauffer l'huile dans un wok ou une grande poêle ; faites sauter l'ail, le gingembre et le sambal oelek jusqu'à ce que le mélange embaume. Incorporez les haricots de soja, la sauce de soja, le sucre, le vin de riz et le bouillon ; portez à ébullition.

4 Ajoutez le crabe en une seule fois ; faites cuire, à couvert, pendant 15 minutes environ, jusqu'à ce qu'il change de couleur. Disposez les morceaux sur le plat et nappez de sauce. Garnissez avec la ciboule.

Coupez les crabes en morceaux.

Réduisez les haricots de soja en purée.

Crevettes à la coriandre et au choy sum

Pour 4 personnes.

PRÉPARATION 30 MINUTES • CUISSON 10 MINUTES

1,5 kg de grosses crevettes crues

2 carottes moyennes (240 g)

1 c. s. d'huile d'arachide

1 ¹/₂ c. c. d'huile aux piments

1 c. s. de gingembre frais, râpé

60 ml de miel

60 ml de vinaigre de riz

4 ciboules, émincées

**300 g de choy sum
(ou d'épinards), paré,
coupé en fines lanières**

**2 c. s. de feuilles de coriandre
fraîche, hachées menu**

1 Décortiquez et ôtez la veine des crevettes en laissant les queues intactes. À l'aide d'un éplucheur, détaillez les carottes en fines lanières.

2 Faites chauffer les huiles dans un wok ou une grande poêle ; faites sauter les crevettes par petites quantités, jusqu'à ce qu'elles changent de couleur. Réservez. Ajoutez le gingembre, le miel et le vinaigre dans le wok ; portez à ébullition. Remettez les crevettes et ajoutez la carotte, la ciboule, le choy sum et la coriandre ; faites frire jusqu'à ce que le choy sum soit juste tendre.

Décortiquez et ôtez la veine des crevettes.

Détaillez les carottes en lanières.

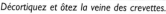

Enrobez le poisson du mélange de farines.

Faites sauter le poisson.

Poisson frit à la sauce pimentée

Pour 4 personnes.

PRÉPARATION 15 MINUTES • CUISSON 20 MINUTES

8 petits filets de poisson blanc à chair ferme

80 ml de sauce de soja légère

50 g de farine

110 g de Maïzena

1 1/2 c. s. de mélange du Sichuan

huile végétale pour friture

2 ciboules, en tranches fines

2 petits piments rouges, émincés

Sauce pimentée

1 1/2 c. s. de sauce chili

2 c. s. de concentré de tomates

1 c. s. de sauce de soja

2 c. s. d'eau

3 c. s. de vinaigre de riz

1 Coupez chaque filet en deux dans la diagonale. Plongez-les dans la sauce de soja, égouttez l'excédent, puis enrobez dans un mélange de farine-Maïzena-mélange du Sichuan ; secouez pour éliminer le surplus.

2 Faites chauffer l'huile dans un wok ou une grande poêle. Faites frire le poisson par petites quantités, jusqu'à ce qu'il soit cuit et bien doré ; égouttez-le sur du papier absorbant. Servez avec la sauce pimentée, garni de ciboule et de piments.

Sauce pimentée Portez l'ensemble des ingrédients à ébullition dans une petite casserole.

Encornets
au chou chinois

Pour 4 personnes.

PRÉPARATION 15 MINUTES • MARINADE 3 HEURES • CUISSON 15 MINUTES

1 kg d'encornets, parés

80 ml de sauce aux huîtres

2 c. s. de vin de riz chinois

1 c. c. de sucre

1 c. c. d'huile de sésame

2 c. s. d'huile d'arachide

2 gousses d'ail, pilées

1 c. s. de gingembre frais, râpé

500 g de chou chinois, coupé grossièrement

6 ciboules, émincées

80 g de germes de soja

1 c. s. d'ail frit, en bocal

Entaillez la surface des encornets.

Faites sauter les encornets par petites quantités.

1 Ouvrez les encornets ; entaillez en résille la surface intérieure, puis coupez en morceaux de 2 centimètres par 6 centimètres. Mélangez les encornets avec la sauce aux huîtres, le vin de riz, le sucre et l'huile de sésame dans un bol. Couvrez ; entreposez au réfrigérateur pendant 3 heures, ou toute une nuit. Égouttez les encornets au-dessus d'un bol ; réservez la marinade.

2 Faites chauffer la moitié de l'huile d'arachide dans un wok ou une grande poêle à frire ; faites sauter les encornets par petites quantités, jusqu'à ce qu'ils soient cuits et bien dorés. Faites chauffer le reste de l'huile d'arachide dans le wok ; faites frire l'ail et le gingembre jusqu'à ce que le mélange embaume. Ajoutez le chou, la ciboule et la marinade ; faites sauter jusqu'à ce que le légume soit juste tendre. Remettez les encornets dans le wok ; faites revenir jusqu'à ce qu'ils soient bien chauds. Incorporez les germes de soja. Servez le plat garni d'ail frit.

L'ASTUCE DU CHEF

Vous trouverez de l'ail frit en bocal dans les magasins de produits exotiques et certains supermarchés.

Faites tremper les champignons.

Ajoutez les noix de Saint-Jacques aux légumes sautés.

Noix de Saint-Jacques aux petits légumes

Pour 4 personnes.

PRÉPARATION 20 MINUTES • CUISSON 10 MINUTES

5 champignons shiitake, séchés

2 oignons moyens (300 g)

1 c. s. d'huile d'arachide

2 branches de céleri, parées, en tranches fines (150 g)

2 c. c. de gingembre frais, râpé

1 gousse d'ail, pilée

125 g de jeunes épis de maïs (frais, si possible)

250 g de haricots verts, coupés en deux

125 ml de bouillon de poule

1 c. s. de sauce de soja épaisse

2 c. c. de Maïzena

1 c. s. de vin de riz chinois

500 g de noix de Saint-Jacques

300 g de bok choy (ou de blettes), en lanières

1 Mettez les champignons dans un bol résistant à la chaleur, recouvrez d'eau bouillante ; laissez reposer pendant 20 minutes. Égouttez. Jetez les pieds et tranchez les chapeaux finement. Coupez les oignons en quatre ; émincez chaque quartier en fines lamelles. Faites chauffer l'huile dans un wok ou une grande poêle à frire ; faites sauter l'oignon, le céleri, le gingembre, l'ail et le maïs jusqu'à ce que l'oignon blondisse.

2 Incorporez les champignons, les haricots, le bouillon, la sauce de soja et la Maïzena mélangée au vin de riz ; faites sauter jusqu'à ébullition de la sauce qui doit légèrement épaissir. Ajoutez les noix de Saint-Jacques ; faites revenir pendant 2 minutes. Ajoutez le bok choy ; continuez à faire cuire à feu doux jusqu'à ce que les Saint-Jacques soient opaques et le bok choy juste tendre.

Crevettes à la sauce satay

Pour 4 personnes.

PRÉPARATION 30 MINUTES • MARINADE 3 HEURES • CUISSON 15 MINUTES

1,5 kg de grosses crevettes crues

2 oignons moyens (300 g)

2 c. c. d'huile d'arachide

60 ml de bouillon de poule

2 c. s. de feuilles de coriandre fraîche

Marinade

¹/4 c. c. de cinq-épices

¹/2 c. c. de sambal oelek

1 c. c. de poudre de curry doux

60 ml de sauce satay

1 c. s. de sauce de soja légère

1 c. s. de xérès

1 c. c. de Maïzena

1 c. c. de sucre

1 Décortiquez et ôtez la veine des crevettes en laissant les queues intactes. Coupez-les dans le sens de la longueur au niveau du dos, sans séparer les deux moitiés, puis incorporez-les à la marinade dans un saladier.

Couvrez et réservez au réfrigérateur pendant 3 heures ou toute une nuit.

2 Coupez les oignons en quatre et chaque quartier en fines lamelles. Faites chauffer la moitié de l'huile dans un wok ou une grande poêle à frire ; faites sauter l'oignon jusqu'à ce qu'il blondisse. Retirez-le du wok. Faites chauffer le reste de l'huile dans le même récipient ; faites sauter les crevettes sans les égoutter, par petites quantités, jusqu'à ce qu'elles dorent légèrement. Remettez l'oignon et les crevettes ; ajoutez le bouillon. Faites revenir jusqu'à ce que les crevettes aient changé de couleur et soient bien cuites. Ajoutez la coriandre.

Marinade Mélangez tous les ingrédients dans un bol.

Décortiquez et ôtez la veine des crevettes.

Coupez les quartiers d'oignons en fines lamelles.

Omelette aux crevettes

Pour 4 à 6 personnes.

PRÉPARATION 20 MINUTES • CUISSON 30 MINUTES

2 champignons shiitake, séchés

500 g de crevettes cuites, moyennes

12 œufs

1/2 c. c. de cinq-épices

1 c. c. d'huile de sésame

80 g de germes de soja, coupés grossièrement

4 ciboules, émincées

2 c. s. d'huile d'arachide, environ

40 g de feuilles de coriandre fraîche

Sauce

1 c. c. de Maïzena

1 c. s. de sauce de soja légère

2 c. s. de sauce aux huîtres

125 ml d'eau

Faites tremper les champignons.

Faites cuire l'omelette.

1 Mettez les champignons dans un bol résistant à la chaleur, recouvrez d'eau bouillante. Laissez reposer pendant 20 minutes. Égouttez. Jetez les pieds, et émincez les chapeaux. Décortiquez et enlevez la veine des crevettes ; coupez-les en deux dans le sens de la longueur. Battez les œufs, le cinq-épices et l'huile de sésame dans un saladier en mélangeant bien. Incorporez les champignons, les crevettes, les germes de soja et la ciboule.

2 Badigeonnez une poêle à frire antiadhésive d'un peu d'huile d'arachide. Faites chauffer la poêle, versez-y environ la moitié d'une tasse (125 ml) d'omelette. Faites cuire, sans couvrir, jusqu'à ce que l'omelette soit ferme ; tournez-la et faites-la cuire de l'autre côté. Retirez-la du récipient et transférez-la dans un plat de service. Couvrez-la pour la garder au chaud. Répétez l'opération avec le reste de l'huile et du mélange en disposant les omelettes cuites en couches dans le plat. Nappez le tout de sauce et garnissez de coriandre.

Sauce Mélangez la Maïzena et les sauces à l'eau dans une petite casserole ; faites chauffer en remuant bien jusqu'à ébullition de la sauce qui doit épaissir.

Crevettes au miel

Pour 4 personnes.

PRÉPARATION 30 MINUTES • CUISSON 15 MINUTES

1,5 kg de grosses crevettes crues

150 g de farine à gâteaux
 (avec levure incorporée)

310 ml d'eau

1 œuf, légèrement battu

Maïzena

huile végétale pour friture

2 c. c. d'huile d'arachide

60 ml de miel

100 g de pousses d'épinards

2 c. s. de graines de sésame,
 grillées

1 Décortiquez et ôtez la veine des crevettes en laissant les queues intactes. Tamisez la farine dans un bol ; incorporez peu à peu l'eau et l'œuf au fouet jusqu'à obtention d'une pâte lisse. Enrobez les crevettes de Maïzena en secouant le surplus, puis enrobez-les dans la pâte, une par une.

2 Faites chauffer l'huile végétale dans un wok ou une grande poêle à frire. Faites sauter les crevettes, en petites quantités, jusqu'à ce qu'elles soient légèrement dorées ; égouttez sur du papier absorbant.

3 Faites chauffer l'huile d'arachide dans le wok, ou la poêle; faites chauffer le miel, sans couvrir, jusqu'à ébullition. Incorporez les crevettes ; enrobez-les de miel. Servez sur un lit de pousses d'épinards, et parsemez de graines de sésame.

Enrobez les crevettes de Maïzena,
puis de pâte à frire.

Incorporez les crevettes au miel.

Poisson vapeur
à la sauce pimentée

Pour 4 personnes.

PRÉPARATION 5 MINUTES • CUISSON 10 MINUTES

4 darnes de poisson blanc (1 kg)

2 c. s. de sauce aux huîtres

60 ml d'huile d'arachide

1 1/2 c. s. de vinaigre de riz

**1 1/2 c. s. de sauce aux piments
douce**

1 c. c. de sauce de soja légère

1/4 c. c. de sucre

**40 g de feuilles de coriandre
fraîche**

1 Mettez le poisson dans un
cuiseur à vapeur en bambou
en l'arrosant d'un peu de sauce
aux huîtres.

2 Faites-le cuire, à couvert,
au-dessus d'un wok ou
d'une grande casserole d'eau
frémissante pendant 10 minutes
environ, jusqu'à ce qu'il soit
juste cuit. Mélangez au fouet
l'huile, le vinaigre, les sauces
et le sucre dans un bol. Servez
le poisson en le nappant d'un
peu de sauce pimentée, garni
de feuilles de coriandre.

L'ASTUCE DU CHEF

Tapissez le cuiseur en bambou
de papier cuisson pour faire cuire
le poisson à la vapeur.

Faites cuire le poisson à la vapeur.

Mélangez la sauce dans un bol.

Poisson au gingembre et à la sauce de soja

Pour 2 à 4 personnes.

PRÉPARATION 10 MINUTES • CUISSON 25 MINUTES

1 dorade rose de 800 g
1 c. s. de gingembre frais, râpé
1 c. s. d'huile d'arachide
60 ml de vin de riz chinois
60 ml de sauce de soja légère
¹/₂ c. c. de sucre
3 ciboules, émincées

1 Faites trois entailles profondes de chaque côté du poisson, puis posez-le dans un plat huilé allant au four.

2 Frottez l'intérieur du poisson de gingembre ; aspergez du mélange d'huile, de vin de riz, de sauce de soja et de sucre. Faites cuire, à couvert, à température moyenne pendant 25 minutes environ. Servez en nappant d'un peu de sauce du plat ; décorez avec les ciboules.

Entaillez le poisson.

Arrosez le poisson de sauce.

46

Crevettes braisées aux petits légumes

Pour 4 à 6 personnes.

PRÉPARATION 30 MINUTES • CUISSON 10 MINUTES

I kg de grosses crevettes crues

I c. s. d'huile d'arachide

I c. c. de gingembre frais, râpé

250 g de brocolis, coupés

I poivron rouge moyen (200 g), en tranches fines

300 g de choy sum, paré, coupé grossièrement

425 g de champignons de couche en boîte, égouttés

230 g de pousses de bambou en tranches, égouttées

160 ml de bouillon de poule

2 c. s. de Maïzena

I c. s. de sauce barbecue chinoise

I c. s. de sauce de haricots de soja noirs

225 g de nouilles frites

1 Décortiquez et ôtez la veine des crevettes en laissant les queues intactes. Faites chauffer l'huile dans un wok ou une grande poêle à frire ; faites sauter les crevettes avec le gingembre jusqu'à ce qu'elles changent de couleur.

2 Incorporez les légumes, le bouillon et la Maïzena mélangée aux sauces ; faites chauffer le tout jusqu'à ébullition de la sauce, qui doit épaissir légèrement. Servez sur un lit de nouilles frites.

L'ASTUCE DU CHEF

Pour faire frire les nouilles, faites-les tremper quelques minutes dans de l'eau bouillante ; égouttez-les bien. Faites-les sauter dans un wok avec un peu d'huile.

Décortiquez et ôtez la veine des crevettes.

Incorporez la Maïzena mélangée aux sauces.

48

Encornets sautés aux épices

Pour 4 personnes.

PRÉPARATION 15 MINUTES • CUISSON 15 MINUTES

750 g d'encornets, parés

1 c. s. de poivre du Sichuan

1 oignon moyen (150 g)

1 ¹/₂ c. s. d'huile d'arachide

2 gousses d'ail, pilées

2 c. s. de xérès

1 c. s. de sauce barbecue chinoise

80 g de germes de soja

100 g de pousses d'épinards

40 g de feuilles de coriandre fraîche

Entaillez la surface des encornets.

Faites sauter les encornets en petites quantités.

1 Ouvrez les encornets ; entaillez en résille la surface interne, puis coupez-les en morceaux de 2 centimètres par 6 centimètres. Mélangez-les avec le poivre dans un bol. Coupez l'oignon en lamelles épaisses.

2 Faites chauffer 1 cuillerée à soupe d'huile dans un wok ou une grande poêle à frire ; faites sauter les encornets, en petites quantités, jusqu'à ce qu'ils soient tendres et dorés. Ajoutez le reste de l'huile avec l'oignon et l'ail ; faites-les revenir jusqu'à ce que l'oignon blondisse. Remettez les encornets dans le wok avec le xérès et la sauce barbecue ; portez à ébullition. Juste avant de servir, incorporez délicatement au mélange, les germes de soja et les pousses d'épinards, ainsi que la coriandre.

Nouilles hokkien au tofu frit et aux crevettes

Pour 4 personnes.

PRÉPARATION 20 MINUTES • CUISSON 15 MINUTES

5 champignons shiitake, séchés
500 g de nouilles hokkien
300 g de tofu ferme
huile végétale pour friture
1 c. s. d'huile d'arachide
2 gousses d'ail, pilées
2 c. c. de gingembre frais, râpé
500 g de grosses crevettes crues, décortiquées
80 ml de sauce aux huîtres
2 c. s. de sauce de soja légère
1 c. s. de sauce hoisin
1 c. s. de vinaigre de riz
300 g de choy sum, coupé
2 c. s. de sauce aux piments douce
2 c. s. de feuilles de coriandre fraîche

Faites tremper les champignons.

Faites frire le tofu.

1 Mettez les champignons dans un bol résistant à la chaleur, recouvrez d'eau bouillante, laissez reposer pendant 20 minutes ; égouttez. Ôtez les pieds, émincez les chapeaux. Rincez les nouilles sous l'eau chaude ; égouttez-les. Transférez-les dans un plat ; séparez-les à la fourchette.

2 Coupez le tofu en cubes de 2 centimètres. Faites chauffer l'huile végétale dans un wok ou une grande poêle à frire ; faites sauter le tofu par petites quantités, jusqu'à ce qu'il soit bien doré. Réservez-le sur du papier absorbant.

3 Faites chauffer l'huile d'arachide dans le même wok, ou la poêle; faites revenir l'ail, le gingembre et les crevettes jusqu'à ce qu'elles changent de couleur. Incorporez les nouilles, les champignons, les sauces et le vinaigre ; faites sauter jusqu'à ce que le mélange soit bien chaud. Ajoutez le choy sum ; faites-le revenir jusqu'à ce qu'il soit juste tendre. Servez les nouilles garnies de tofu, de sauce aux piments et de feuilles de coriandre.

Blancs de poulet au citron

Pour 4 personnes.

PRÉPARATION 15 MINUTES • CUISSON 15 MINUTES

75 g de Maïzena
80 ml d'eau
4 jaunes d'œufs
700 g de blancs de poulet
huile végétale pour friture
4 ciboules, émincées

Sauce au citron

1 c. s. de Maïzena
1 c. s. de sucre brun
60 ml de jus de citron
1/2 c. c. de gingembre frais, râpé
1 c. c. de sauce de soja légère
125 ml de bouillon de poule

1 Mettez la Maïzena dans un bol ; incorporez progressivement l'eau et les jaunes d'œufs jusqu'à obtention d'une pâte lisse. Ajoutez le poulet et mélangez bien.

2 Juste avant de servir, retirez les morceaux de poulet de la pâte en éliminant l'excédent. Faites chauffer l'huile dans un wok ou une grande poêle. Faites frire le poulet, en petites quantités, jusqu'à ce qu'il soit cuit et légèrement doré ; égouttez-le sur du papier absorbant. Servez-le, arrosé de sauce au citron et garni de ciboule.

Sauce au citron Mélangez la Maïzena et le sucre au jus de citron dans une petite casserole ; ajoutez le gingembre, la sauce de soja et le bouillon ; faites chauffer en remuant jusqu'à ce que la sauce épaississe.

Plongez le poulet dans l'huile chaude.

Faites chauffer la sauce en remuant.

Salade de poulet au sésame

Pour 4 personnes.

PRÉPARATION 15 MINUTES • CUISSON 15 MINUTES

4 blancs de poulet

1,5 l de bouillon de poule

2 anis étoilés

1 c. s. de sauce de soja légère

1 c. c. d'huile de sésame

**200 g de pois mange-tout,
    coupés en deux**

100 g de pousses d'épinards

160 g de germes de soja

**2 branches de céleri, parées,
    en tranches fines**

4 ciboules, émincées

**1 c. s. de graines de sésame,
    grillées**

Sauce

2 c. s. de sauce de soja légère

1 c. s. d'huile d'arachide

1 c. s. d'huile de sésame

1/2 c. c. de gingembre frais, râpé

1 Mettez les blancs de poulet dans une grande casserole ; ajoutez le bouillon, l'anis étoilé, la sauce de soja et l'huile, et portez à ébullition ; laissez mijoter pendant 10 minutes sans couvrir. Laissez le poulet refroidir dans le bouillon, à couvert, puis égouttez-le au-dessus d'un saladier ; réservez le bouillon pour un autre usage. Coupez la viande en tranches épaisses.

2 Pendant ce temps, plongez les pois mange-tout dans une casserole d'eau bouillante. Égouttez immédiatement. Transférez ensuite dans un bol d'eau glacée et laissez reposer pendant 2 minutes. Égouttez.

3 Mélangez le poulet avec les pousses d'épinards, les germes de soja, les pois mange-tout, le céleri, la ciboule et la sauce dans un bol ; garnissez de graines de sésame.

Sauce Mélangez les ingrédients dans un bocal muni d'un couvercle et remuez bien.

Tranchez les blancs de poulet cuits.

Mélangez tous les ingrédients de la salade.

Poulet au miel et aux piments

Pour 4 personnes.

PRÉPARATION 15 MINUTES • CUISSON 25 MINUTES

huile végétale pour friture

100 g de vermicelles de soja

1 c. c. d'huile aux piments

3 c. c. d'huile d'arachide

2 oignons moyens (300 g), émincés

4 gousses d'ail, pilées

1 c. s. de gingembre frais, râpé

1 kg de blancs de poulet, coupés en deux

125 ml de miel

2 c. s. de sauce aux piments douce

500 g de brocolis chinois, coupés grossièrement

40 g de ciboulette fraîche, coupée grossièrement

1 Faites chauffer l'huile végétale dans un wok ou une grande poêle. Faites frire les nouilles, en petites quantités, jusqu'à ce qu'elles gonflent et blanchissent. Égouttez-les sur du papier absorbant.

2 Faites chauffer l'huile aux piments et l'huile d'arachide dans le wok ou la poêle. Faites sauter l'oignon, l'ail, le gingembre jusqu'à ce que le mélange embaume. Ajoutez le poulet, le miel et la sauce aux piments douce ; faites revenir le tout jusqu'à ce que le poulet soit cuit et doré. Incorporez les brocolis et la ciboulette ; faites sauter jusqu'à ce que les brocolis soient juste tendres. Servez sur les nouilles.

Faites frire les vermicelles.

Faites sauter le mélange jusqu'à ce que les brocolis soient juste tendres.

Ailes de poulet sautées

Pour 4 personnes.

PRÉPARATION 15 MINUTES • MARINADE 3 HEURES • CUISSON 20 MINUTES

1 kg d'ailes de poulet

3 gousses d'ail, pilées

1 c. s. de gingembre frais, râpé

2 c. s. de sauce hoisin

2 c. s. de xérès

2 c. s. de miel

1 c. s. d'huile d'arachide

230 g de pousses de bambou, égouttées, en tranches

6 ciboules, hachées grossièrement

300 g de bok choy, coupé grossièrement

1   Ôtez et jetez la pointe des ailes ; coupez les ailes en deux au niveau de l'articulation. Dans un saladier, mélangez le poulet, l'ail, le gingembre, la sauce hoisin, le xérès et le miel. Couvrez ; réservez pendant 3 heures ou toute une nuit au réfrigérateur.

2   Faites chauffer l'huile dans un wok ou une grande poêle ; faites sauter le poulet sans l'égoutter pendant 10 minutes, à couvert, en remuant de temps en temps. Retirez le couvercle ; faites-le revenir encore pendant 10 minutes environ, jusqu'à ce qu'il soit cuit et bien doré. Ajoutez les pousses de bambou, la ciboule et le bok choy ; faites sauter jusqu'à ce que le bok choy soit juste tendre.

Coupez les ailes de poulet en deux au niveau de l'articulation.

Faites sauter les ailes de poulet.

Poulet aux épices

Pour 4 personnes.

PRÉPARATION 15 MINUTES • MARINADE 3 HEURES • CUISSON 35 MINUTES

1,5 kg de poulet

2 l de bouillon de poule, environ

125 ml de sauce de soja légère

1 morceau de 5 cm de gingembre, en tranches

4 gousses d'ail, en tranches

1 c. s. de cinq-épices

125 ml de sauce barbecue chinoise

2 c. s. de xérès

2 c. c. d'huile de sésame

huile végétale pour friture

Mélange d'épices frites

1 c. s. de gros sel de mer

1 c. c. de poivre noir, concassé

1/4 c. c. de cinq-épices

1/4 c. c. de coriandre, en grains

1 Mettez le poulet dans une grande casserole, recouvrez de bouillon. Ajoutez la sauce de soja, le gingembre, l'ail et le cinq-épices. Portez à ébullition, puis baissez le feu. Laissez mijoter sans couvrir pendant 10 minutes. Retirez du feu, laissez le poulet refroidir, à couvert, dans le bouillon. Égouttez le poulet sur du papier absorbant ; jetez le bouillon. À l'aide d'un grand couteau, d'un ciseau à volaille ou d'un fendoir, coupez le poulet en deux au milieu de l'épine dorsale, puis découpez-le de part et d'autre et jetez l'épine dorsale.

2 Dans un grand plat peu profond, enrobez le poulet du mélange de sauce barbecue, xérès et huile de sésame. Couvrez ; réservez pendant 3 heures ou toute une nuit au réfrigérateur.

3 Faites chauffer l'huile végétale dans un wok ou une grande poêle. Faites sauter le poulet sans l'égoutter par petites quantités, jusqu'à ce qu'il soit bien cuit et doré ; égouttez-le sur du papier absorbant. Détaillez le poulet en morceaux de la taille d'une bouchée ; servez avec le mélange d'épices frites.

Mélange d'épices frites Faites revenir le sel et le poivre dans une petite casserole en remuant bien pendant 2 minutes ; ajoutez le cinq-épices et la coriandre ; prolongez la cuisson pendant 1 minute en remuant.

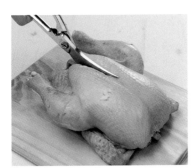

Coupez le poulet en deux.

Détaillez le poulet en morceaux de la taille d'une bouchée.

Poulet au gingembre et à la ciboule

Pour 4 personnes.

PRÉPARATION 10 MINUTES • CUISSON 40 MINUTES

1 poulet de 1,5 kg

2 l de bouillon de poule

2 anis étoilés

1 morceau de gingembre frais de 5 cm, en tranches fines

1 gousse d'ail, en tranches fines

2 c. s. de sauce de soja légère

1 oignon moyen (150 g), coupé en quatre

2 c. c. de poivre du Sichuan

quelques feuilles de coriandre fraîche

Sauce de nappage

80 ml d'huile d'arachide

1 c. s. de vinaigre de riz

1 c. c. de sauce de soja légère

1 c. s. de gingembre frais râpé

2 ciboules, émincées

1 Mettez le poulet dans une grande casserole, ajoutez assez de bouillon pour le recouvrir ; incorporez l'anis étoilé, le gingembre, l'ail, la sauce de soja, l'oignon et les grains de poivre. Portez
à ébullition, puis baissez et laissez mijoter à feu doux, sans couvrir, pendant 40 minutes environ, jusqu'à ce que le poulet soit très tendre. Retirez-le du feu ; laissez-le refroidir dans le bouillon.

2 Égouttez le poulet ; réservez le bouillon pour un autre usage. Couvrez le poulet ; entreposez-le au réfrigérateur jusqu'à ce qu'il soit froid et ferme. Coupez-le en morceaux de la taille de bouchées. Servez le poulet froid nappé de sauce. Garnissez de feuilles de coriandre fraîche.

Sauce de nappage Mélangez les ingrédients dans un bocal muni d'un couvercle. Remuez bien.

Mettez le poulet dans une casserole avec les épices.

Coupez le poulet en morceaux de la taille d'une bouchée.

Poulet sauté aux mangues

Pour 4 personnes.

PRÉPARATION 10 MINUTES • CUISSON 15 MINUTES

1 c. s. d'huile d'arachide

600 g de blancs de poulet,
   en tranches épaisses

1 c. s. de gingembre frais, râpé

1 gousse d'ail, pilée

1 c. s. de miel

1 c. c. de Maïzena

125 ml de bouillon de poule

1 c. c. d'huile de sésame

2 mangues moyennes (860 g),
   en tranches épaisses

2 ciboules, émincées

100 g de pousses d'épinards

80 g de germes de soja

1 c. s. de feuilles de coriandre
   fraîche, coupées grossièrement

1 Faites chauffer l'huile d'arachide dans le wok ou une grande poêle ; faites sauter le poulet, en petites quantités, jusqu'à ce qu'il soit juste cuit et légèrement doré. Remettez dans la casserole avec le gingembre et l'ail. Faites revenir jusqu'à ce que le mélange embaume. Incorporez le miel mélangé à la Maïzena, au bouillon et à l'huile de sésame ; continuez à faire cuire à feu doux jusqu'à ce que la sauce bouille et épaississe.

2 Ajoutez les mangues et la ciboule ; faites sauter pour bien réchauffer le tout. Servez sur les légumes mélangés ; parsemez de coriandre.

Faites cuire le poulet en petites quantités.

60

Faites dorer les amandes dans le wok.

Faites réchauffer le poulet.

Poulet aux amandes

Pour 4 personnes.

PRÉPARATION 10 MINUTES • CUISSON 15 MINUTES

2 c. s. d'huile d'arachide

160 g d'amandes entières, mondées

600 g de blancs de poulet

1 c. c. de gingembre frais, râpé

2 c. s. de sauce hoisin

1 petit poireau (200 g), émincé

200 g de haricots verts, coupés en deux

2 branches de céleri (150 g), parées, tranchées

2 ciboules, émincées

1 c. s. de sauce de soja légère

1 c. s. de sauce aux prunes

1 c. c. d'huile de sésame

1 Faites chauffer la moitié de l'huile d'arachide dans un wok ou une grande poêle ; faites sauter les amandes jusqu'à ce qu'elles soient dorées. Réservez. Dans le même récipient, faites revenir le poulet par petites quantités, jusqu'à ce qu'il soit cuit et légèrement doré.

2 Mettez le reste de l'huile d'arachide et le gingembre dans le wok ; faites sauter jusqu'à ce que le mélange embaume. Incorporez la sauce hoisin, le poireau, les haricots et le céleri. Faites revenir jusqu'à ce que les haricots soient juste tendres.

3 Remettez le poulet dans le wok avec la ciboule, la sauce de soja, la sauce aux prunes et l'huile de sésame ; faites sauter jusqu'à ce que le tout soit bien chaud. Ajoutez les amandes.

Poulet chow mein

Pour 4 à 6 personnes.

PRÉPARATION 20 MINUTES • CUISSON 15 MINUTES

500 g de crevettes moyennes crues

1 c. s. d'huile d'arachide

500 g de blancs de poulet, en tranches fines

1 oignon, coupé en lamelles

2 gousses d'ail, pilées

1 c. s. de gingembre frais, râpé

**1 poivron rouge moyen (200 g),
   en tranches fines**

**2 branches de céleri, parées (150 g),
   en tranches fines**

160 g de chou chinois, en fines lanières

60 ml de sauce de soja légère

1 c. s. de sauce aux huîtres

1 c. c. d'huile de sésame

2 c. c. de Maïzena

125 ml de bouillon de poule

80 g de germes de soja

6 ciboules, grossièrement hachées

225 g de nouilles frites

Décortiquez et ôtez la veine des crevettes.

Mélangez le poivron, le céleri, l'oignon et l'ail.

1 Décortiquez et ôtez la veine des crevettes
en laissant les queues intactes. Faites chauffer
la moitié de l'huile d'arachide dans un wok
ou une grande poêle ; faites sauter le poulet et
les crevettes, séparément, en petites quantités,
jusqu'à ce que le poulet soit cuit et que
les crevettes aient changé de couleur.

2 Faites chauffer le reste de l'huile d'arachide
dans le wok ; faites revenir l'oignon, l'ail et
le gingembre jusqu'à ce que le mélange
embaume. Ajoutez le poivron et le céleri ;
faites sauter le tout jusqu'à ce que les légumes
soient juste tendres. Remettez le poulet et les
crevettes dans le wok avec le chou, les sauces,
l'huile de sésame et la Maïzena mélangée au
bouillon ; continuez à faire cuire à feu doux
jusqu'à ébullition de la sauce qui doit
légèrement épaissir. Incorporez les germes
de soja et la ciboule ; faites revenir pour que
le plat soit bien chaud. Servez avec les nouilles
frites.

L'ASTUCE DU CHEF

Pour faire frire les nouilles, faites-les tremper
quelques minutes dans de l'eau bouillante.
Égouttez-les bien. Faites-les sauter dans un wok
avec un peu d'huile.

Méli-mélo de légumes sautés

Pour 4 personnes.

PRÉPARATION 20 MINUTES • CUISSON 15 MINUTES

1 c. s. d'huile d'arachide

**500 g de blancs de poulet,
émincés**

250 g de porc, haché

1 oignon moyen (150 g), coupé

2 gousses d'ail, pilées

2 c. c. de gingembre frais, râpé

**1 grosse carotte (180 g),
en fines tranches**

**500 g de crevettes moyennes
crues, décortiquées, sans veine**

300 g de chou chinois, en lanières

**425 g de jeunes épis de maïs
en boîte, égouttés**

**230 g de pousses de bambou en
boîte, tranchées, égouttées,
coupées finement**

**80 g de germes de soja,
coupés grossièrement**

**2 ciboules, coupées
grossièrement**

1 c. c. de Maïzena

2 c. s. de sauce de soja légère

**1 c. s. de sauce aux haricots
de soja noirs**

1 Faites chauffer la moitié de l'huile dans un wok ou une grande poêle ; faites sauter le poulet, en petites quantités, jusqu'à ce qu'il soit cuit et doré. Faites chauffer le reste de l'huile dans le même récipient ; faites revenir le porc haché jusqu'à ce qu'il soit doré. Incorporez l'oignon, l'ail, le gingembre et la carotte ; faites sauter jusqu'à ce que l'oignon blondisse. Ajoutez les crevettes et faites-les sauter jusqu'à ce qu'elles changent de couleur.

2 Remettez le poulet dans le wok avec le reste des légumes et la Maïzena mélangée aux sauces ; faites sauter jusqu'à ce que le chou soit tendre.

Détaillez les pousses de bambou.

Remettez le poulet dans le wok.

Poulet Billy Kee

Pour 4 personnes.

PRÉPARATION 10 MINUTES • CUISSON 20 MINUTES

1 c. c. de mélange du Sichuan
4 jaunes d'œufs
2 c. s. de Maïzena
1 kg de blancs de poulet
huile végétale pour friture
60 ml de xérès
60 ml de sauce tomate
1 c. s. de sauce aux huîtres
1 c. s. de vinaigre de riz

1 Dans un bol, battez au fouet le mélange du Sichuan, les jaunes d'œufs et la Maïzena jusqu'à obtention d'un mélange homogène ; ajoutez le poulet et remuez bien. Faites chauffer l'huile dans un wok ou une grande poêle. Faites frire le poulet, en petites quantités, jusqu'à ce qu'il soit cuit et doré ; égouttez-le sur du papier absorbant.

2 Dans un wok ou une grande poêle, portez à ébullition le xérès, les sauces et le vinaigre de riz, puis laissez mijoter pendant 2 minutes sans couvrir. Incorporez le poulet ; faites revenir jusqu'à ce que le tout soit bien chaud.

Faites frire le poulet.

Incorporez le poulet dans la sauce.

65

Canard glacé
à la sauce aux prunes

Pour 4 personnes.

PRÉPARATION 10 MINUTES • CUISSON 1 H 30

1 canard de 1,8 kg
3 anis étoilés
2 gousses d'ail, pelées
1 morceau de gingembre frais de 5 cm, tranché
500 ml d'eau

Sauce aux prunes

80 ml de sauce aux prunes
2 c. s. de sauce de soja épaisse
1 c. c. d'huile de sésame

Enfermez la garniture à l'intérieur du canard avec des cure-dents.

Couvrez les pointes des ailes et des pattes avec du papier aluminium.

1 Garnissez l'intérieur du canard avec l'anis étoilé, l'ail et le gingembre ; fermez l'ouverture avec des cure-dents. Ôtez le cou et jetez-le ; attachez les pattes ensemble, sans les serrer, avec de la ficelle de cuisine. Mettez le canard sur une grille métallique posée dans un grand plat allant au four ; versez l'eau dans le plat.

2 Faites rôtir le canard, sans couvrir, pendant 30 minutes à température moyenne. Badigeonnez-le de sauce aux prunes ; couvrez les ailes et le bout des pattes avec du papier aluminium. Baissez le thermostat et faites cuire encore pendant 30 minutes. Arrosez à nouveau de sauce, baissez encore la température ; faites rôtir en couvrant, mais pas hermétiquement, pendant 30 minutes environ, jusqu'à ce que le canard soit tendre et la peau croustillante. Ôtez les cure-dents et la ficelle.

3 Coupez le canard en petits morceaux et servez avec le reste de sauce.

Sauce aux prunes Mélangez tous les ingrédients dans un petit bol.

Marmite de poulet

Pour 4 personnes.

PRÉPARATION 20 MINUTES • CUISSON 1 H 45

Chaque fois que vous prévoyez de cuisiner dans une casserole asiatique en terre cuite, commencez par la faire tremper dans l'eau froide pendant 24 heures. Quand vous la rangez, laissez toujours un peu d'eau au fond pour qu'elle reste humide.

Trempez les champignons.

5 champignons shiitake, séchés

1 kg de blancs de poulet, coupés en deux

2 gousses d'ail, pilées

2 c. c. de gingembre frais, râpé

250 ml de bouillon de poule

1 c. s. de sauce de soja épaisse

1 c. s. de sauce aux huîtres

2 c. s. de xérès

1 c. s. de Maïzena

2 c. s. d'eau

2 ciboules, émincées

1 c. s. de feuilles de coriandre fraîche, coupées grossièrement

1 Mettez les champignons dans un bol résistant à la chaleur, recouvrez d'eau bouillante, laissez reposer pendant 20 minutes ; égouttez. Jetez les pieds ; coupez les chapeaux en deux. Mélangez les champignons avec le poulet, l'ail, le gingembre, le bouillon, les sauces et le xérès dans une casserole en terre cuite asiatique d'une contenance de 1,25 litre, ou bien dans un plat allant au four.

2 Faites cuire la marmite au four, à couvert, à thermostat moyen, pendant 1 h 30 environ, jusqu'à ce que le poulet soit très tendre. Incorporez la Maïzena mélangée à l'eau ; faites cuire, sans couvrir, à température moyenne pendant 15 minutes environ, jusqu'à ébullition de la sauce qui doit épaissir. Ajoutez la ciboule et la coriandre.

Ajoutez la coriandre au plat.

Coupez l'ail et l'oignon.

Poulet aux nouilles et au gingembre

Pour 4 personnes.

PRÉPARATION 10 MINUTES • CUISSON 20 MINUTES

200 g de nouilles de blé, séchées

1 c. c. d'huile aux piments

3 c. c. d'huile d'arachide

**500 g de blancs de poulet,
en tranches épaisses**

8 ciboules, hachées grossièrement

4 gousses d'ail, pilées

2 c. s. de gingembre frais, râpé

**600 g de choy sum, paré, coupé
grossièrement**

**2 c. s. de feuilles de coriandre
fraîche, hachées
grossièrement**

2 c. s. de sauce aux huîtres

2 c. s. de bouillon de poule

Ciboule et ail croustillants

4 gousses d'ail, pelées

2 ciboules

huile végétale pour friture

1 Faites cuire les nouilles dans une grande casserole d'eau bouillante, sans couvrir, jusqu'à ce qu'elles soient juste tendres ; rincez sous l'eau chaude. Égouttez.

2 Faites chauffer les huiles dans un wok ou une grande poêle ; faites sauter le poulet, en petites quantités, jusqu'à ce qu'il soit cuit et bien doré. Remettez le poulet dans le wok avec le ciboule, l'ail et le gingembre ; faites revenir jusqu'à ce que le mélange embaume. Ajoutez le choy sum, la coriandre, la sauce aux huîtres et le bouillon ; faites sauter jusqu'à ce que le choy sum soit juste tendre. Servez le poulet sur les nouilles, garni d'ail et de ciboule croustillants.

Ciboule et ail croustillants Coupez l'ail en tranches fines et la ciboule en lamelles de 8 centimètres de long environ. Faites chauffer l'huile dans le wok ou la poêle. Faites frire l'ail et la ciboule, séparément, en petites quantités, jusqu'à ce que l'ail soit doré et la ciboule légèrement dorée et croustillante ; égouttez sur du papier absorbant.

Poulet en croûte de sel

Pour 4 personnes.

PRÉPARATION 15 MINUTES • CUISSON 4 HEURES

1 poulet de 1,5 kg
1 c. s. de sauce de soja épaisse
2 c. s. d'huile d'arachide
3 ciboules, émincées
1 c. s. de gingembre frais, râpé
1 c. c. de sucre
60 ml de sauce de soja légère
2 c. s. de xérès
¹/4 c. c. de cinq-épices

Pâte à sel

600 g de farine
1 kg de gros sel
375 ml d'eau, environ

1 Mettez le poulet sur deux grandes feuilles d'aluminium. Frottez-le de sauce de soja épaisse, puis badigeonnez-le d'huile. Remplissez l'intérieur du poulet du mélange de ciboule, de gingembre, de sucre, de sauce de soja légère, de xérès et de cinq-épices. Fermez bien l'ouverture à l'aide de cure-dents. Enveloppez hermétiquement le poulet dans le papier aluminium.

2 Préparez la pâte à sel sur une surface farinée jusqu'à ce qu'elle soit assez grande pour contenir le poulet entier. Placez-la dans un plat peu profond, huilé, allant au four. Posez le poulet enveloppé de papier aluminium dessus ; repliez la pâte et scellez bien les bords avec un peu d'eau pour enfermer complètement le poulet. Faites cuire, sans couvrir, pendant 1 heure à four chaud ; baissez le thermostat et faites cuire encore 3 heures, jusqu'à ce que la pâte soit friable et croustillante.

3 Sortez le poulet du four ; cassez la croûte de sel avec un maillet et jetez-la. Déposez délicatement le poulet enveloppé dans le papier aluminium sur le plat de service ; retirez soigneusement le papier et jetez-le.

Pâte à sel Mettez la farine et le sel dans un bol ; incorporez assez d'eau pour obtenir une pâte ferme.

Enfermez le poulet dans la pâte au sel.

Cassez la pâte au sel avec un maillet.

Salade chaude de canard aux nouilles

Pour 4 personnes.

PRÉPARATION 15 MINUTES • CUISSON 10 MINUTES

1 barbecue de canard chinois

200 g de nouilles de blé séchées, fines

2 ciboules, émincées

100 g de pousses d'épinards

80 g de germes de soja

450 g d'épinards chinois, parés

230 g de châtaignes d'eau en boîte, égouttées, en tranches

2 c. c. de sauce de soja épaisse

40 g d'amandes effilées, grillées

Vinaigrette

2 c. c. de sauce hoisin

1 c. s. de sauce aux prunes

2 c. s. de vinaigre de riz

60 ml d'huile d'arachide

1 Coupez le canard en morceaux de la taille d'une bouchée. Faites cuire les nouilles dans une grande casserole d'eau bouillante, sans couvrir, jusqu'à ce qu'elles soient tendres ; rincez sous l'eau froide, égouttez.

2 Mélangez les nouilles, la ciboule, les pousses d'épinards, les germes de soja, les épinards chinois et les châtaignes d'eau dans un bol avec la sauce de soja et la moitié de la vinaigrette. Servez les morceaux de canard sur ce mélange ; arrosez du reste de la vinaigrette et garnissez d'amandes.

Vinaigrette Mettez tous les ingrédients dans un bocal muni d'un couvercle ; remuez bien.

L'ASTUCE DU CHEF

On peut remplacer les épinards chinois par des épinards normaux.

Coupez le canard en petits morceaux.

Mélangez les nouilles et les légumes.

Détaillez le canard en petits morceaux.

Faites griller les morceaux de canard, la peau au-dessus.

Canard braisé

Pour 4 personnes.

PRÉPARATION 20 MINUTES • CUISSON 1 H 50

5 champignons shiitake, séchés

1 canard de 1,8 kg

4 anis étoilés

1/4 c. c. de poivre du Sichuan

500 ml de bouillon de poule

2 gousses d'ail, émincées

1 c. c. de gingembre frais, haché

1 c. s. de sauce barbecue chinoise

2 c. s. de xérès

1 c. s. de Maïzena

1 c. s. d'eau

L'ASTUCE DU CHEF

Vous pouvez utiliser une casserole asiatique en terre cuite pour la cuisson de ce plat. Avant de vous en servir, plongez-la pendant 24 heures dans l'eau froide.

1 Mettez les champignons dans un bol résistant à la chaleur, recouvrez d'eau bouillante, laissez reposer pendant 20 minutes ; égouttez. Jetez les pieds ; coupez finement les chapeaux. Pendant ce temps, coupez le canard en petits morceaux. Faites griller la peau du canard sur une grille posée au-dessus d'un plat peu profond allant au four jusqu'à ce que la peau soit croustillante et légèrement dorée et qu'un peu de graisse ait coulé. Égouttez-le sur du papier absorbant.

2 Enveloppez l'anis étoilé et le poivre dans un petit morceau de mousseline. Posez le canard et les épices dans un plat d'une contenance de 2 litres allant au four. Incorporez les champignons, le bouillon, l'ail, le gingembre, la sauce et le xérès. Faites cuire, à couvert, à température modérée pendant 1 h 30 environ, jusqu'à ce que le canard soit tendre. Sortez-le du four, couvrez-le pour le garder au chaud. Retirez les épices et jetez-les.

3 Écumez la graisse contenue dans la sauce du plat. Ajoutez le mélange de Maïzena et d'eau ; remettez le plat au four et laissez cuire, sans couvrir, pendant 15 minutes environ, jusqu'à ébullition de la sauce qui doit épaissir légèrement. Versez-la sur le canard.

Suggestion de préparation Servez garni de ciboule hachée et de feuilles de coriandre.

Poulet épicé au chou et aux nouilles

Pour 4 personnes.

PRÉPARATION 30 MINUTES • MARINADE 3 HEURES • CUISSON 15 MINUTES

700 g de blancs de poulet, en tranches épaisses

2 c. s. de vinaigre de riz

2 gousses d'ail pilées

1 c. c. d'huile aux piments

¹/₂ c. c. de cinq-épices

60 ml de sauce de soja légère

30 g de crevettes séchées

500 g de nouilles hokkien

2 c. s. d'huile d'arachide

300 g de chou chinois, en fines lanières

4 ciboules, émincées

2 c. s. de ciboulette fraîche, hachée menu

2 c. s. de feuilles de coriandre fraîche, hachées menu

50 g de pousses d'épinards

1 Dans un bol, mélangez le poulet avec le vinaigre, l'ail, l'huile aux piments, le cinq-épices et 1 cuillère à soupe de sauce de soja. Couvrez ; réservez pendant 3 heures ou toute une nuit au réfrigérateur.

2 Mettez les crevettes dans un bol résistant à la chaleur, recouvrez d'eau bouillante ; laissez reposer pendant 30 minutes. Égouttez.

3 Rincez les nouilles dans une passoire avec de l'eau chaude. Égouttez-les. Transférez-les dans un saladier ; séparez-les à la fourchette. Égouttez le poulet au-dessus d'un bol ; réservez la marinade.

4 Faites chauffer l'huile d'arachide dans un wok ou une grande poêle à frire ; faites sauter le poulet, en petites quantités, jusqu'à ce qu'il soit cuit et bien doré. Remettez-le dans le wok avec la marinade ; portez à ébullition. Ajoutez les nouilles, le reste de la sauce, les crevettes, le chou, la ciboule, la ciboulette et la coriandre ; faites revenir jusqu'à ce que le chou soit juste tendre. Incorporez les pousses d'épinards.

Faites tremper les crevettes dans un bol.

Rincez les nouilles hokkien.

Filet de bœuf aux germes de soja

Pour 4 personnes.

PRÉPARATION 15 MINUTES • MARINADE 20 MINUTES • CUISSON 15 MINUTES

750 g de bœuf, dans le filet

1 c. c. de sauce de soja légère

1 c. c. d'huile de sésame

1 c. c. de Maïzena

1 c. s. d'eau

1 1/2 c. s. d'huile d'arachide

2 oignons moyens (300 g), émincés

1 gousse d'ail, pilée

1 c. c. de poudre de curry douce

1 c. s. de sauce satay

2 c. c. de sauce de soja légère, supplémentaires

1 c. c. de sucre brun

2 c. c. de xérès

2 c. s. d'eau, supplémentaire

80 g de germes de soja

Aplatissez la viande avec un maillet.

Ajoutez les germes de soja dans le wok.

1 Ôtez la graisse et les tendons de la viande. Coupez-la en tranches de 5 millimètres d'épaisseur et aplatissez-la avec un maillet. Mélangez le bœuf avec la sauce de soja, l'huile de sésame, la Maïzena et l'eau dans un bol. Couvrez ; placez pendant 20 minutes au réfrigérateur. Faites chauffer 1 cuillerée à soupe d'huile d'arachide dans un wok ou une grande poêle à frire ; faites sauter le bœuf, en petites quantités, jusqu'à ce qu'il soit doré des deux côtés.

2 Faites chauffer le reste de l'huile d'arachide dans le wok ; faites revenir l'oignon, l'ail et la poudre de curry jusqu'à ce que le mélange embaume. Ajoutez la sauce satay, la sauce de soja supplémentaire, le sucre, le xérès et l'eau supplémentaire ; portez à ébullition. Remettez le bœuf dans le wok ; faites sauter jusqu'à ce que le mélange soit bien chaud. Incorporez les germes de bambou.

Bœuf à la sichuanaise

Pour 4 personnes.

PRÉPARATION 15 MINUTES • MARINADE 3 HEURES • CUISSON 15 MINUTES

**500 g de filet de bœuf,
en tranches fines**

2 c. s. de sauce de soja légère

**1 c. s. de sauce barbecue
chinoise**

2 c. s. de xérès

1 gousse d'ail, pilée

2 c. c. de gingembre frais, râpé

1 c. c. de Maïzena

1 c. s. d'huile d'arachide

600 g de choy sum, paré

2 c. s. de sauce aux huîtres

**2 c. c. d'huile d'arachide,
supplémentaires**

1 c. c. de sucre

**1 c. s. de poivre du Sichuan,
grillé et concassé**

4 ciboules, émincées

160 g de germes de soja

1 Mélangez le bœuf avec les sauces de soja et barbecue, le xérès, l'ail, le gingembre et la Maïzena dans un saladier. Couvrez ; conservez pendant 3 heures ou toute une nuit au réfrigérateur. Égouttez la viande au-dessus d'un bol ; réservez la marinade.

2 Faites chauffer l'huile d'arachide dans un wok ou une grande poêle ; faites sauter le bœuf, en petites quantités, jusqu'à ce qu'il soit doré.

3 Mettez le choy sum dans un bol résistant à la chaleur, recouvrez-le d'eau bouillante ; laissez reposer pendant 2 minutes. Égouttez-le, et remettez-le dans le bol avec la sauce aux huîtres, l'huile d'arachide supplémentaire et le sucre.

4 Remettez le bœuf dans le wok avec la marinade, le poivre et la ciboule ; faites sauter jusqu'à ébullition de la sauce. Ajoutez les germes de soja ; faites revenir jusqu'à ce que tout se mélange bien. Servez le bœuf sur un lit de choy sum.

Coupez les bouts du choy sum.

Égouttez le choy sum.

Filet de bœuf à la cantonaise

Pour 4 personnes.

PRÉPARATION 15 MINUTES • MARINADE 3 HEURES • CUISSON 15 MINUTES

750 g de bœuf, dans le filet

2 c. c. de sucre

2 c. c. de Maïzena

1 c. s. de sauce de soja légère

1 c. s. de sauce aux huîtres

2 c. s. de xérès

2 oignons moyens (300 g)

1 ¹/₂ c. s. d'huile d'arachide

160 g de germes de soja

1 Ôtez la graisse et les tendons du bœuf. Coupez la viande en tranches de 5 millimètres d'épaisseur, aplatissez-la légèrement avec un maillet à viande. Mélangez le bœuf, dans un saladier, avec le sucre, la Maïzena, les sauces et la moitié du xérès. Couvrez ; réservez au réfrigérateur pendant 3 heures, ou toute une nuit.

2 Coupez les oignons en fines lamelles. Faites chauffer 2 cuillerées à café d'huile dans un wok ou une grande poêle ; faites sauter l'oignon jusqu'à ce qu'il blondisse, retirez-le du wok. Faites chauffer la moitié de l'huile restante dans le même récipient ; faites revenir le bœuf, en petites quantités, jusqu'à ce qu'il soit doré des deux côtés en ajoutant le reste de l'huile si nécessaire. Remettez le bœuf dans le wok avec le reste du xérès, l'oignon et les germes de soja ; faites-le sauter jusqu'à ce que le tout se mélange bien.

Aplatissez la viande avec un maillet.

Coupez les oignons en lamelles.

Bœuf sauté aux petits légumes

Pour 4 personnes.

PRÉPARATION 10 MINUTES • CUISSON 15 MINUTES

750 g de rumsteck

1 gousse d'ail, pilée

1 c. s. d'huile d'arachide

1 c. c. d'huile aux piments

2 c. s. de sauce de soja épaisse

1 c. s. de sauce aux haricots de soja noirs

1 c. c. de sucre brun

2 c. c. de Maïzena

125 ml de bouillon de poule

150 g de haricots verts, parés, coupés en deux

1 poivron rouge moyen (200 g), en tranches fines

300 g de bok choy (ou de blettes), émincé

1 Coupez le bœuf en tranches fines. Mélangez-le avec l'ail et les huiles dans un saladier. Faites chauffer un wok ou une grande poêle à frire ; faites sauter le bœuf, en petites quantités, jusqu'à ce qu'il soit doré.

2 Ajoutez les sauces, le sucre, la Maïzena mélangée au bouillon dans le wok ; faites cuire jusqu'à ébullition de la sauce qui doit légèrement épaissir. Ajoutez les haricots ; faites-les sauter pendant 2 minutes. Remettez le bœuf dans le wok avec le poivron et le bok choy ; faites revenir jusqu'à ce que le bok choy soit juste tendre.

Coupez le bœuf en tranches fines.

Coupez les haricots en deux.

Coupez le bœuf en tranches, puis en lanières.

Faites dorer la viande dans le wok.

Bœuf au xérès et au choy sum

Pour 4 personnes.

PRÉPARATION 10 MINUTES • MARINADE 3 HEURES • CUISSON 10 MINUTES

500 g de bœuf, dans le filet

1 c. c. d'huile de sésame

1 c. c. de mélange du Sichuan

2 c. s. de xérès

1 c. s. d'huile d'arachide

2 c. c. de gingembre frais, râpé

2 c. s. de sauce de soja légère

1 c. s. de sauce aux haricots de soja noirs

1 c. c. de Maïzena

80 ml de bouillon de poule

500 g de choy sum, paré, coupé

1 Coupez le bœuf en tranches fines, puis détaillez les tranches en lanières. Mélangez la viande avec l'huile de sésame, le mélange du Sichuan et le xérès dans un saladier. Couvrez ; conservez pendant 3 heures ou toute une nuit au réfrigérateur.

2 Faites chauffer l'huile d'arachide dans le wok ou une grande poêle à frire ; faites sauter le bœuf, en petites quantités, jusqu'à ce qu'il soit bien doré. Remettez-le dans le récipient de cuisson avec le gingembre ; faites revenir jusqu'à ce que le mélange embaume. Ajoutez les sauces et la Maïzena incorporée au bouillon. Faites cuire jusqu'à ce que la sauce bouille et épaississe. Ajoutez le choy sum ; prolongez la cuisson jusqu'à ce qu'il soit juste tendre.

Bœuf au curry

Pour 4 personnes.

PRÉPARATION 15 MINUTES • CUISSON 15 MINUTES

2 pommes de terre moyennes (400 g)

2 oignons moyens (300 g)

2 c. s. d'huile d'arachide

750 g de bœuf dans le filet, en tranches fines

1 gousse d'ail, pilée

1 c. s. de pâte de curry douce

1 c. s. de sauce satay

1 c. c. de sauce aux piments épicée

1 c. s. de sauce de soja épaisse

2 c. c. de Maïzena

125 ml de bouillon de poule

1 c. s. de ciboulette fraîche, ciselée

1 Coupez les pommes de terre en cubes de 2 centimètres, et les oignons en fines lamelles. Faites chauffer la moitié de l'huile dans un wok ou une grande poêle à frire ; faites sauter le bœuf, en petites quantités, jusqu'à ce qu'il soit bien doré.

2 Faites chauffer le reste de l'huile dans le wok ; faites sauter les pommes de terre jusqu'à ce qu'elles soient dorées et presque tendres. Ajoutez l'oignon et l'ail ; faites revenir jusqu'à ce que l'oignon blondisse. Ajoutez la pâte de curry ; faites sauter le mélange jusqu'à ce qu'il embaume. Incorporez les sauces et la Maïzena préalablement mélangée avec le bouillon ; faites chauffer à feu vif jusqu'à ébullition de la sauce, qui doit épaissir. Remettez le bœuf dans le wok ; faites-le sauter jusqu'à ce que le tout soit bien mélangé. Garnissez avec la ciboulette.

Coupez les oignons en lamelles.

Faites sauter les pommes de terre.

Travers de porc aux épices

Pour 4 personnes.

PRÉPARATION 10 MINUTES • CUISSON 30 MINUTES

1,5 kg de travers de porc, coupés

1 c. s. d'huile d'arachide

60 ml de sauce barbecue chinoise

2 c. s. de sauce de soja épaisse

2 c. s. de sauce aux piments douce

2 gousses d'ail, pilées

2 c. c. de gingembre frais, râpé

60 ml de miel

75 g de sucre brun

1/4 c. c. de cinq-épices

60 ml de xérès

1 Plongez les travers dans une grande casserole d'eau bouillante, sans couvrir, pendant 10 minutes environ, jusqu'à ce qu'ils soient juste cuits ; égouttez sur du papier absorbant, jetez le liquide de cuisson.

2 Faites chauffer l'huile dans un wok ou une grande poêle ; faites sauter les travers, en petites quantités, jusqu'à ce qu'ils soient bien dorés ; égouttez sur du papier absorbant. Retirez l'huile du wok. Incorporez les sauces, l'ail, le gingembre, le miel, le sucre, le cinq-épices et le xérès, portez à ébullition, ajoutez les travers ; faites sauter pendant 10 minutes environ, en remuant jusqu'à ce que la viande soit enrobée d'une sauce épaisse.

Plongez les travers dans l'eau bouillante.   *Ajoutez les travers cuits à la sauce.*

Faites frire le porc.

Ôtez les graines du concombre à l'aide d'une cuillère.

Porc aigre-doux

Pour 4 personnes.

PRÉPARATION 20 MINUTES • CUISSON 30 MINUTES

750 g de filet de porc

2 c. s. de sauce hoisin

Maïzena

huile végétale pour friture

**440 g d'ananas en boîte,
    en morceaux**

2 petits concombres (260 g)

2 c. c. d'huile d'arachide

1 oignon moyen (150 g), émincé

**1 poivron vert moyen (200 g),
    coupé grossièrement**

**2 branches de céleri (150 g),
    en tranches épaisses**

2 c. s. de sauce tomate

2 c. s. de sauce de soja légère

60 ml de vinaigre blanc

1 c. s. de Maïzena, supplémentaire

60 ml de bouillon de poule

1 Coupez le porc en tranches de 1 centimètre d'épaisseur et mélangez-le avec la sauce hoisin dans un saladier. Enrobez les tranches de Maïzena, secouez pour enlever l'excédent. Faites frire le porc, en petites quantités, dans l'huile végétale chaude jusqu'à ce qu'il soit cuit et bien doré ; égouttez-le sur du papier absorbant.

2 Égouttez l'ananas au-dessus d'un bol ; réservez le jus. Coupez les concombres dans le sens de la longueur, ôtez les graines à l'aide d'une cuillère et jetez-les ; coupez le concombre en tranches épaisses.

3 Faites chauffer l'huile d'arachide dans un wok ou une grande poêle ; faites revenir l'oignon jusqu'à ce qu'il blondisse. Ajoutez le poivron et le céleri ; faites-les sauter jusqu'à ce qu'ils soient tendres. Incorporez le jus d'ananas, la sauce tomate, la sauce de soja, le vinaigre et la Maïzena supplémentaire, mélangée au bouillon ; faites revenir jusqu'à ce que la sauce bouille et épaississe. Ajoutez le porc, l'ananas et le concombre ; faites sauter jusqu'à ce que le mélange soit bien chaud.

Filet mignon de porc rôti

Pour 6 personnes.

PRÉPARATION 5 MINUTES • MARINADE 3 HEURES • CUISSON 1 H 30

filet mignon de porc (2 kg)

60 ml de sauce de soja légère

2 c. s. de xérès

1 c. s. de sucre brun

1 c. s. de miel

1 c. c. de colorant alimentaire rouge

1 gousse d'ail, pilée

1/2 c. s. de cinq-épices

1 Coupez le filet mignon en deux dans le sens de la longueur. Mélangez le porc avec les autres ingrédients dans un saladier. Couvrez ; mettez au réfrigérateur pendant 3 heures ou toute une nuit. Égouttez la viande au-dessus d'un bol ; réservez la marinade.

2 Disposez le porc sur une grille métallique au-dessus d'un plat allant au four. Faites-le rôtir, sans couvrir, à four chaud pendant 30 minutes. Baissez le thermostat à température modérée et continuez à faire rôtir, sans couvrir, pendant 1 heure environ, jusqu'à ce que le porc soit bien doré, en l'arrosant de temps en temps avec la marinade. Laissez-le reposer pendant 10 minutes avant de le couper en tranches.

Coupez le cou de porc en deux.

Arrosez la viande en cours de cuisson.

Ragoût de Mongolie

Pour 4 à 6 personnes.

PRÉPARATION 20 MINUTES • MARINADE 3 HEURES • CUISSON 15 MINUTES

Vous pouvez servir ce plat sur un ragoût en fonte préchauffé. Pour produire l'effet « rissolé », arrosez d'environ 1 cuillerée à soupe de vin blanc sec ou de bouillon le plat chaud juste avant de passer à table.

200 g de filet de bœuf,
en tranches fines

200 g de filet de porc,
en tranches fines

200 g de blancs de poulet,
en tranches fines

2 c. c. de cinq-épices

2 c. c. de sucre

1 c. s. de Maïzena

80 ml de sauce de soja légère

1 c. s. de sauce aux haricots
de soja noirs

3 gousses d'ail, pilées

1 1/2 c. s. de vinaigre de riz

1 œuf, légèrement battu

500 g de crevettes moyennes
crues

250 g d'encornets

2 c. s. d'huile d'arachide

2 oignons moyens (300 g),
en grosses tranches

1 1/2 c. s. de bouillon de poulet

1/4 c. c. d'huile de sésame

1 Mélangez le porc, le bœuf, le poulet avec le cinq-épices, le sucre, la Maïzena, la moitié des sauces mélangées, l'ail, le vinaigre de riz et l'œuf dans un saladier. Couvrez ; mettez pendant 3 heures ou toute une nuit au réfrigérateur.

2 Égouttez le mélange au-dessus d'un bol ; réservez la marinade. Décortiquez et ôtez la veine des crevettes en laissant les queues intactes. Coupez les encornets en deux ; entaillez en résille leur face interne, puis détaillez en morceaux de 5 centimètres.

3 Faites chauffer la moitié de l'huile d'arachide dans un wok ou une grande poêle ; faites sauter crevettes et encornets par petites quantités, jusqu'à ce qu'ils soient bien dorés. Faites chauffer le reste de l'huile dans le même récipient ; faites revenir la viande, en petites quantités, jusqu'à ce qu'elle soit bien dorée. Ajoutez l'oignon ; faites-le sauter jusqu'à ce qu'il blondisse. Retirez-le du feu. Incorporez la marinade, le reste des sauces mélangées, le bouillon et l'huile de sésame ; remuez bien jusqu'à ébullition de la sauce, qui doit épaissir. Dans le wok, remettez les crevettes, les encornets, la viande et l'oignon ; faites sauter jusqu'à ce que les ingrédients soient bien chauds.

Entaillez en résille l'intérieur des encornets.

Faites cuire crevettes et encornets en petites quantités.

Porc à la sauce aux haricots noirs

Pour 4 personnes.

PRÉPARATION 15 MINUTES • CUISSON 15 MINUTES

1 ¹/₂ c. s. de haricots de soja noirs, salés

1 c. s. d'huile d'arachide

750 g de filet de porc, en grosses tranches

1 gousse d'ail, pilée

1 c. c. de gingembre frais, râpé

1 c. c. de sauce aux piments épicée

1 c. s. de sauce de soja épaisse

1 c. s. de sauce aux huîtres

¹/₂ c. c. d'huile de sésame

1 c. s. de xérès

1 c. c. de sucre

2 c. c. de Maïzena

160 ml de bouillon de poule

2 ciboules, émincées

Oignons et germes de soja sautés

2 oignons moyens (300 g)

2 c. c. d'huile d'arachide

240 g de germes de soja

1 Rincez les haricots de soja sous l'eau froide pendant 1 minute, et égouttez-les ; réduisez-les en purée à la fourchette dans un bol. Faites chauffer l'huile d'arachide dans un wok ou une grande poêle ; faites sauter le porc, en petites quantités, jusqu'à ce qu'il soit bien doré.

2 Mettez les haricots dans le wok avec l'ail et le gingembre ; faites sauter jusqu'à ce que le mélange embaume. Incorporez les sauces, l'huile de sésame, le xérès, le sucre et la Maïzena mélangée au bouillon. Faites revenir jusqu'à ce que la sauce bouille et épaississe légèrement. Ajoutez le porc et la ciboule ; faites sauter jusqu'à ce que le porc soit cuit à votre convenance. Servez sur un lit d'oignons et de germes de soja sautés.

Oignons et germes de soja sautés Coupez l'oignon en lamelles. Faites chauffer l'huile dans un wok ou une grande poêle ; faites revenir l'oignon jusqu'à ce qu'il blondisse. Incorporez les germes de soja.

Faites réduire les haricots de soja en purée.

Ajoutez les sauces aux haricots noirs.

Faites tremper les nouilles de riz fraîches.

Faites cuire l'omelette dans le wok.

Nouilles de riz aux crevettes et porc au barbecue

Pour 4 personnes.

PRÉPARATION 20 MINUTES • CUISSON 20 MINUTES

500 g de nouilles de riz fraîches

500 g de crevettes moyennes crues

2 champignons muerr

I c. c. d'huile aux piments

2 œufs, légèrement battus

2 c. s. d'huile d'arachide

3 gousses d'ail, pilées

I c. s. de gingembre frais, râpé

I c. s. de pâte de curry douce

2 c. s. de sauce aux huîtres

I c. s. de sauce barbecue chinoise

2 c. s. de xérès

60 ml de bouillon de poule

230 g de châtaignes d'eau en conserve, égouttées, en tranches fines

250 g de barbecue de porc chinois, en tranches fines

4 ciboules, hachées

1 Mettez les nouilles dans un saladier résistant à la chaleur, recouvrez d'eau bouillante, laissez reposer jusqu'à ce qu'elles soient tendres ; égouttez. Décortiquez et ôtez la veine des crevettes en laissant les queues intactes. Mettez les champignons dans un bol résistant à la chaleur, recouvrez d'eau bouillante ; laissez reposer pendant 20 minutes ; égouttez. Jetez les pieds, émincez les chapeaux.

2 Faites chauffer l'huile aux piments dans un wok ou une grande poêle à frire ; ajoutez les œufs battus, faites tourner le wok afin de former une omelette fine sur toute la base. Faites-la cuire jusqu'à ce qu'elle soit ferme, retirez-la du wok ; laissez-la refroidir. Roulez l'omelette ; coupez-la en tranches fines.

3 Faites chauffer l'huile d'arachide dans le wok ; faites sauter l'ail, le gingembre et la pâte de curry jusqu'à ce que le mélange embaume. Incorporez les crevettes ; faites-les revenir jusqu'à ce qu'elles changent de couleur. Ajoutez les champignons, les nouilles, les sauces, le xérès et le bouillon ; faites sauter jusqu'à ce que le mélange soit bien homogène. Ajoutez l'omelette en tranches, les châtaignes d'eau, le porc et la ciboule ; faites sauter jusqu'à ce que le plat soit bien chaud.

Porc au gingembre et aux petits légumes

Pour 4 personnes.

PRÉPARATION 10 MINUTES • MARINADE 3 HEURES • CUISSON 15 MINUTES

Coupez le porc en tranches fines.

Faites sauter les légumes.

700 g de filet de porc

2 c. s. de gingembre frais, râpé

40 g de feuilles de coriandre fraîche, hachées

2 c. s. de vinaigre de riz

2 c. s. d'huile d'arachide

125 g de jeunes épis de maïs (frais si possible), coupés en deux dans le sens de la longueur

1 poivron rouge moyen (200 g), émincé

100 g de pois mange-tout, coupés en deux

2 c. s. de sauce de soja légère

250 g d'épinards, parés

240 g de germes de soja

80 g de feuilles de coriandre fraîche, supplémentaires

1 Coupez le filet de porc en tranches fines ; mélangez la viande dans un saladier avec le gingembre, la coriandre et le vinaigre. Couvrez ; mettez pendant 3 heures ou toute une nuit au réfrigérateur.

2 Faites chauffer la moitié de l'huile dans un wok ou une grande poêle à frire ; faites sauter le porc, en petites quantités, jusqu'à ce qu'il soit bien cuit et doré.

3 Faites chauffer le reste de l'huile dans le wok ; faites sauter le maïs, le poivron et les pois mange-tout jusqu'à ce qu'ils soient tendres ; retirez-les du wok. Remettez le porc dans le wok avec la sauce de soja ; faites-le revenir jusqu'à ce qu'il soit bien chaud. Juste avant de servir, incorporez délicatement au porc les légumes cuits, avec les épinards, les germes de soja et le reste de la coriandre jusqu'à ce que les épinards soient juste tendres.

Porc au poivre du Sichuan

Pour 4 personnes.

PRÉPARATION 10 MINUTES • MARINADE 3 HEURES • CUISSON 15 MINUTES

2 c. c. de poivre du Sichuan

600 g de filet de porc

2 gousses d'ail, pilées

1 c. c. d'huile aux piments

1 ¹/₂ c. s. d'huile d'arachide

450 g de bok choy (ou de blettes), coupé en deux

120 g de germes de soja

2 c. s. de sauce aux piments douce

1 c. s. de sauce de soja légère

1 Faites griller les grains de poivre dans une petite poêle à frire jusqu'à ce qu'ils dégagent leur parfum. Concassez-les dans un mortier en une poudre fine.

2 Coupez le porc en tranches fines ; mélangez-le dans un saladier avec le poivre, l'ail et l'huile aux piments. Couvrez ; mettez pendant 3 heures ou toute une nuit au réfrigérateur.

3 Faites chauffer 1 cuillerée à soupe d'huile d'arachide dans un wok ou une grande poêle ; faites sauter le porc, en petites quantités, jusqu'à ce qu'il soit cuit et bien doré. Faites chauffer le reste de l'huile dans le wok, ajoutez le bok choy ; faites-le revenir jusqu'à ce qu'il soit juste tendre. Remettez le porc dans le récipient de cuisson avec les germes de soja et les sauces ; faites sauter jusqu'à ce que le tout soit bien chaud.

Concassez les grains de poivre au pilon.

Coupez le porc en tranches fines.

Porc chow mein

Pour 4 personnes.

PRÉPARATION 15 MINUTES • CUISSON 15 MINUTES

huile végétale pour friture

250 g de nouilles de blé fines, fraîches

1 oignon moyen (150 g)

1 c. s. d'huile d'arachide

2 gousses d'ail, pilées

2 c. c. de gingembre frais, râpé

1/4 c. c. de cinq-épices

2 branches de céleri (150 g), parées, en tranches épaisses

1 carotte moyenne (120 g), en tranches fines

200 g de chou chinois, en fines lamelles

1 c. s. de sauce aux haricots de soja noirs

1 c. s. de sauce aux huîtres

1 c. s. de sauce de soja

300 g de porc au barbecue chinois, en tranches fines

2 c. s. de ciboulette fraîche, hachée

1 Faites chauffer l'huile végétale dans un wok ou une grande poêle. Faites frire les nouilles, en petites quantités, jusqu'à ce qu'elles soient légèrement dorées et croustillantes ; égouttez sur du papier absorbant.

2 Coupez l'oignon en fines lamelles. Faites chauffer l'huile d'arachide dans le wok nettoyé ; faites sauter l'oignon, l'ail, le gingembre et le cinq-épices jusqu'à ce que le mélange embaume. Ajoutez le céleri et la carotte ; faites revenir pendant 2 minutes. Incorporez le chou, les sauces et le porc ; faites sauter jusqu'à ce que le chou soit juste tendre. Servez sur les nouilles ; parsemez de ciboulette.

Faites frire les nouilles.

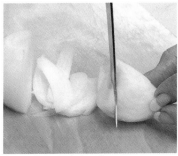

Coupez l'oignon en lamelles.

Tofu épicé aux vermicelles de riz

Pour 4 personnes.

PRÉPARATION 20 MINUTES • CUISSON 15 MINUTES

250 g de vermicelles de riz

2 c. c. d'huile aux piments

6 ciboules, émincées

2 gousses d'ail, pilées

250 g d'asperges, coupées grossièrement

1 petit poivron rouge (150 g), émincé

2 c. s. de sauce aux piments douce

2 c. s. de sauce aux haricots de soja noirs

1 c. s. de vinaigre de riz

60 ml de bouillon de légumes

190 g de tofu frit, coupé

500 g d'épinards, coupés grossièrement

50 g de cacahuètes grillées, non salées

Faites tremper les vermicelles de riz.

Faites sauter les légumes.

1 Mettez les vermicelles dans un saladier résistant à la chaleur, recouvrez d'eau bouillante, laissez reposer jusqu'à ce qu'ils soient tendres. Égouttez, puis rincez à l'eau froide et égouttez à nouveau.

2 Faites chauffer l'huile dans un wok ou une grande poêle à frire ; faites sauter la ciboule, l'ail, les asperges et le poivron jusqu'à ce que les légumes soient juste tendres. Ajoutez les nouilles, les sauces, le vinaigre de riz et le bouillon ; faites revenir jusqu'à ébullition de la sauce. Incorporez le tofu et les épinards ; faites sauter jusqu'à ce que les épinards soient juste tendres.

Tofu frit et riz aux épices

Pour 4 personnes.

PRÉPARATION 15 MINUTES • CUISSON 20 MINUTES

Vous devrez faire cuire environ 400 g de riz long pour cette recette.

300 g de tofu bien ferme

huile végétale pour friture

2 c. s. d'huile d'arachide

1 oignon moyen (150 g), émincé

2 grands piments rouges, en tranches fines

2 gousses d'ail, pilées

1,2 kg de riz blanc long grain, cuit

300 g de bok choy (ou de blettes), coupé grossièrement

4 ciboules, émincées

40 g de feuilles de coriandre fraîche

35 g de cacahuètes grillées, non salées

Sauce

2 c. c. de sauce barbecue chinoise

1 c. s. de sauce de soja

1 c. s. de sauce aux piments douce

2 c. s. de beurre de cacahuètes

1 c. s. de vinaigre de riz

80 ml de bouillon de légumes

1 Coupez le tofu en dés de 2 centimètres. Faites-le frire, en petites quantités, dans une huile végétale chaude, jusqu'à ce qu'il soit bien doré ; égouttez sur du papier absorbant.

2 Faites chauffer l'huile d'arachide dans un wok ou une grande poêle à frire ; faites sauter l'oignon, le piment et l'ail jusqu'à ce que l'oignon blondisse. Ajoutez le riz, le tofu frit, le bok choy et la ciboule ; faites revenir jusqu'à ce que le bok choy soit juste tendre. Servez arrosé de sauce aux épices et garni de coriandre et de cacahuètes.

Sauce Mélangez les ingrédients dans une petite casserole, portez à ébullition ; laissez mijoter, sans couvrir, jusqu'à ce que la sauce épaississe légèrement.

Faites frire le tofu.

Coupez grossièrement le bok choy.

Riz frit végétarien

Pour 4 personnes.

RÉFRIGÉRATION 12 HEURES • PRÉPARATION 20 MINUTES • CUISSON 20 MINUTES

1,2 kg de riz blanc long grain, cuit

5 champignons shiitake, séchés

2 c. s. d'huile d'arachide

160 g d'amandes entières, blanchies et coupées

3 œufs, légèrement battus

1 c. c. d'huile aux piments

1 c. s. de gingembre frais, râpé

1/4 c. c. de cinq-épices

1 poivron rouge moyen (200 g), émincé

190 g de tofu frit, en cubes

425 g de jeunes épis de maïs en conserve, égouttés

230 g de châtaignes d'eau en conserve, égouttées, coupées en deux

300 g de choy sum, en fines lanières

1 c. c. d'huile de sésame

2 c. s. de sauce aux haricots de soja noirs

1 c. s. de sauce de soja légère

1. Étalez le riz sur un plateau, recouvrez-le d'un torchon et placez-le au réfrigérateur toute une nuit.

2. Mettez les champignons dans un bol résistant à la chaleur, recouvrez d'eau bouillante, laissez reposer pendant 20 minutes ; égouttez. Jetez les pieds, émincez finement les chapeaux.

3. Faites chauffer la moitié de l'huile d'arachide dans un wok ou une grande poêle à frire ; faites griller les amandes jusqu'à ce qu'elles soient légèrement dorées, retirez-les du feu. Faites chauffer à nouveau le wok ; ajoutez les œufs, tournez le wok afin de confectionner une omelette. Faites-la cuire jusqu'à ce qu'elle soit ferme ; ôtez-la du feu et laissez-la refroidir. Détaillez-la en carrés de 2 centimètres.

4. Faites chauffer le reste de l'huile d'arachide et l'huile aux piments dans le même récipient ; faites sauter le gingembre et le cinq-épices jusqu'à ce que le mélange embaume. Ajoutez le riz, les champignons, les amandes, l'omelette, le poivron, le tofu, le maïs, les châtaignes, le choy sum, l'huile de sésame et les sauces ; faites revenir jusqu'à ce que le choy sum soit juste tendre.

Détaillez le tofu frit.

Étalez le riz cuit sur un plateau.

Les accompagnements

Délicieux et copieux, ces accompagnements se marient à merveille avec les plats du précédent chapitre. Mais vous pouvez également en proposer un assortiment de deux ou trois pour former un repas léger, succulent et original.

Nouilles aux asperges et aux haricots verts

Pour 4 personnes.

PRÉPARATION 15 MINUTES • CUISSON 5 MINUTES

Faites tremper les nouilles.

Coupez les haricots.

200 g de nouilles de riz, séchées
150 g de haricots verts
1 c. s. d'huile d'arachide
4 ciboules, émincées
2 c. c. de mélange du Sichuan
2 gousses d'ail, pilées
2 c. c. de gingembre frais, râpé
2 c. s. de sauce de soja légère
2 c. s. de bouillon de poule
1 c. c. de sucre
1 c. s. de vin de riz chinois
250 g d'asperges, parées, coupées en deux
80 g de germes de soja

1 Mettez les nouilles dans un saladier résistant à la chaleur, recouvrez d'eau bouillante, laissez reposer jusqu'à ce qu'elles soient juste tendres. Rincez sous l'eau froide ; égouttez.

2 Pendant ce temps, coupez les haricots verts en tronçons de 5 centimètres. Faites chauffer l'huile dans un wok ou une grande poêle à frire ; faites sauter la ciboule avec le mélange de Sichuan, l'ail et le gingembre jusqu'à ce que le mélange embaume. Ajoutez la sauce de soja, le bouillon, le sucre, le vin de riz, les haricots et les asperges ; faites cuire à couvert pendant 2 minutes. Incorporez les nouilles ; faites sauter jusqu'à ce que le tout soit bien chaud. Ajoutez délicatement les germes de soja.

Méli-mélo de légumes verts aux noix de cajou

Pour 4 personnes.

PRÉPARATION 10 MINUTES • CUISSON 5 MINUTES

150 g de haricots verts

1 c. s. d'huile d'arachide

1 oignon moyen (150 g), émincé

1 c. c. de gingembre frais, râpé

2 gousses d'ail, pilées

250 g de brocolis, coupés grossièrement

2 c. s. de bouillon de poule

500 g de choy sum, coupé grossièrement

100 g de pois mange-tout, coupés en deux

1 c. s. de sauce aux haricots de soja noirs

1 c. s. de sauce de soja légère

75 g de noix de cajou, coupées grossièrement, grillées

1 Coupez les haricots en tronçons de 5 centimètres. Faites chauffer l'huile dans un wok ou une grande poêle ; faites sauter l'oignon, le gingembre et l'ail jusqu'à ce que le mélange embaume. Ajoutez les haricots, les brocolis et le bouillon ; faites cuire à couvert pendant 2 minutes.

2 Ajoutez le choy sum, les pois mange-tout et les sauces ; faites revenir jusqu'à ce que le choy sum soit juste tendre. Servez les légumes parsemés de noix de cajou.

Coupez les haricots verts.

Râpez le gingembre.

Salade aux cacahuètes

Pour 4 à 6 personnes.

PRÉPARATION 30 MINUTES

30 g de crevettes séchées

**500 g de pousses d'épinards,
    parées, coupées
    grossièrement**

160 g de chou chinois, en lanières

160 g de germes de soja

**100 g de germes d'alfalfa
    (ou de pousses d'épinards),
    coupés en deux**

6 ciboules, émincées

**200 g de pois mange-tout,
    coupés en deux**

**230 g de châtaignes d'eau
    en conserve, égouttées,
    en tranches fines**

**75 g de cacahuètes non
    salées, grillées, coupées
    grossièrement**

Vinaigrette

1 c. s. d'huile d'arachide

1 c. s. de vinaigre de riz

1 c. s. de sauce de soja légère

1 c. c. de sucre

1 Mettez les crevettes dans un bol résistant à la chaleur, recouvrez d'eau bouillante, laissez reposer pendant 30 minutes ; égouttez.

2 Mélangez crevettes, épinards, chou, germes de soja et d'alfalfa, ciboule, pois mange-tout et châtaignes d'eau dans un saladier. Arrosez la salade de vinaigrette et garnissez-la de cacahuètes.

Vinaigrette Mélangez tous les ingrédients dans un bocal muni d'un couvercle ; remuez bien.

Faites tremper les crevettes.

Coupez grossièrement le chou chinois.

Panaché de légumes épicé-doux

Pour 4 à 6 personnes.

PRÉPARATION 10 MINUTES • CUISSON 5 MINUTES

500 g de brocolis chinois

1 c. s. d'huile d'arachide

2 gousses d'ail, pilées

1 c. s. de gingembre frais, râpé

300 g de tat soi, paré

300 g de bok choy, coupé grossièrement

300 g de chou chinois, en lanières

2 c. s. de sauce de soja légère

60 ml de sauce barbecue chinoise

2 c. s. de sauce aux piments douce

120 g de germes de soja

Parez et coupez les brocolis chinois.

Faites sauter tous les légumes.

1 Jetez les extrémités dures des brocolis ; détaillez-les grossièrement. Faites chauffer l'huile dans un wok ou une grande poêle à frire. Faites sauter l'ail et le gingembre jusqu'à ce que le mélange embaume.

2 Ajoutez les brocolis, le tat soi, le bok choy, le chou et les sauces mélangées ; faites revenir jusqu'à ce que les légumes soient juste tendres. Incorporez les germes de soja hors du feu.

Épinards aux amandes grillées

Pour 4 personnes.

PRÉPARATION 10 MINUTES • CUISSON 5 MINUTES

1 kg d'épinards chinois
2 c. c. d'huile d'arachide
2 c. s. de vinaigre de vin de riz
2 c. s. de sauce de soja légère
2 c. s. de miel
1 gousse d'ail, pilée
1 c. c. de gingembre frais, râpé
4 ciboules, en tranches épaisses
40 g d'amandes effilées, grillées

1 Parez les épinards. Faites chauffer l'huile dans le wok ou une grande poêle à frire, ajoutez le vinaigre, la sauce de soja, le miel, l'ail et le gingembre ; portez à ébullition.

2 Ajoutez les épinards et la ciboule ; faites sauter jusqu'à ce que les épinards soient juste tendres. Servez garni d'amandes.

Parez les épinards.

Portez les ingrédients de la sauce à ébullition.

Nouilles de riz au bok choy

Pour 6 personnes.

PRÉPARATION 10 MINUTES • CUISSON 5 MINUTES

1 kg de nouilles de riz, fraîches

1 c. s. d'huile d'arachide

1 c. c. d'huile de sésame

2 c. c. de gingembre frais, râpé

2 gousses d'ail, pilées

**700 g de bok choy (ou de blettes),
coupé grossièrement**

80 ml de sauce barbecue chinoise

80 ml de bouillon de poule

**2 c. c. de graines de sésame,
grillées**

1 Mettez les nouilles dans un saladier résistant à la chaleur, recouvrez d'eau bouillante, laissez reposer jusqu'à ce qu'elles soient tendres. Égouttez.

2 Faites chauffer les huiles dans le wok ou une grande poêle à frire ; faites sauter le gingembre et l'ail jusqu'à ce que le mélange embaume. Ajoutez le bok choy, la sauce barbecue et le bouillon ; faites revenir jusqu'à ce que le légume soit juste tendre. Incorporez les nouilles ; faites sauter jusqu'à ce qu'elles soient bien chaudes. Servez en garnissant de graines de sésame.

Faites tremper les nouilles de riz fraîches.

Détaillez grossièrement le bok choy.

Nouilles aux asperges et aux épinards

Pour 4 à 6 personnes.

PRÉPARATION 10 MINUTES • CUISSON 5 MINUTES

500 g de nouilles hokkien
250 g d'asperges
1 c. s. d'huile d'arachide
1 c. c. de gingembre frais, râpé
4 ciboules, émincées
2 c. s. de sauce de soja épaisse
1 c. s. de xérès
500 g d'épinards chinois, parés
1 c. s. d'ail frit (en bocal)

Rincez les nouilles hokkien.

Coupez les asperges.

1 Rincez les nouilles sous l'eau chaude ; égouttez. Transférez-les dans un saladier ; séparez-les à la fourchette.

2 Coupez les extrémités des asperges, puis détaillez-les en tronçons de 8 centimètres. Faites chauffer l'huile dans un wok ou une grande poêle ; faites sauter les asperges, le gingembre et la ciboule jusqu'à ce que le mélange embaume. Ajoutez les nouilles, la sauce de soja, le xérès et les épinards. Faites revenir jusqu'à ce que les nouilles soient bien chaudes et les épinards juste tendres. Servez garni d'ail frit.

Panaché de légumes sautés

Pour 4 personnes.

PRÉPARATION 20 MINUTES • CUISSON 5 MINUTES

3 champignons muerr, séchés

500 g de chou chinois

1 c. s. d'huile d'arachide

2 carottes moyennes (240 g), émincées

2 gousses d'ail, pilées

230 g de châtaignes d'eau, en conserve, égouttées et coupées en deux

230 g de pousses de bambou, égouttées, en tranches fines

1 c. s. de sauce aux huîtres

2 c. c. de sauce satay

1 c. c. d'huile de sésame

4 ciboules, émincées

425 g de jeunes épis de maïs en conserve, égouttés

160 g de germes de soja

1 c. s. de feuilles de coriandre fraîche, hachées menu

1 Mettez les champignons dans un bol résistant à la chaleur, recouvrez d'eau bouillante, laissez reposer pendant 20 minutes ; égouttez. Jetez les pieds, et émincez finement les chapeaux. Jetez les extrémités dures du chou, puis détaillez-le grossièrement.

2 Faites chauffer l'huile d'arachide dans un wok ou une grande poêle à frire ; faites sauter les carottes jusqu'à ce qu'elles soient presque tendres. Ajoutez les champignons, l'ail, les châtaignes d'eau, les pousses de bambou, les sauces, l'huile de sésame, la ciboule, le maïs et le chou ; faites revenir jusqu'à ce que le chou soit juste tendre. Incorporez les germes de soja et la coriandre hors du feu ; mélangez bien.

Faites tremper les champignons.

Coupez les choux chinois.

Bok choy à la vapeur parfumé à l'huile pimentée

Pour 4 personnes.

PRÉPARATION 5 MINUTES • CUISSON 5 MINUTES

4 bok choy (600 g)

1 c. s. d'huile d'arachide

2 gousses d'ail, pilées

2 c. s. de sauce de soja légère

1 ¹/₂ c. c. de sauce aux piments épicée

2 ciboules, en tranches

40 g de feuilles de coriandre fraîche

1 petit piment rouge, épépiné et émincé

1 Coupez les bok choy en deux dans le sens de la longueur ; disposez-les, côté coupé en haut, dans un panier à vapeur, arrosez-les du mélange d'huile, d'ail et de sauces.

2 Faites-les cuire à la vapeur, à couvert, au-dessus d'un wok ou d'une grande casserole d'eau frémissante pendant 5 minutes environ, jusqu'à ce qu'ils soient juste tendres. Servez avec de la ciboule, de la coriandre et des piments.

Coupez les légumes en deux dans la longueur.

Faites cuire les légumes à la vapeur.

Riz frit panaché

Pour 4 personnes.

RÉFRIGÉRATION 12 HEURES • PRÉPARATION 10 MINUTES • CUISSON 10 MINUTES

1,4 kg de riz blanc long grain cuit, environ

2 c. c. d'huile d'arachide

3 œufs, légèrement battus

1 c. s. d'huile d'arachide, supplémentaire

2 gousses d'ail, pilées

2 c. c. de gingembre frais, râpé

6 ciboules, émincées

200 g de petites crevettes, décortiquées

200 g de porc au barbecue chinois, en tranches fines

3 saucisses chinoises (100 g), en tranches fines

90 g de petits pois, décongelés

80 g de germes de soja

2 ¹/₂ c. s. de sauce de soja légère

1 Étalez le riz sur un plateau, recouvrez-le d'un torchon et conservez-le toute une nuit au réfrigérateur.

2 Faites chauffer la moitié de l'huile dans un wok ou une grande poêle à frire, ajoutez la moitié des œufs ; faites tourner le wok pour former une omelette sur la base. Faites cuire l'omelette jusqu'à ce qu'elle soit ferme ; retirez-la du feu et laissez-la refroidir. Répétez l'opération avec le reste de l'huile et des œufs. Roulez les omelettes ; coupez-les en tranches fines.

3 Faites chauffer le reste de l'huile dans le wok ; faites sauter l'ail, le gingembre et la ciboule jusqu'à ce que le mélange embaume. Incorporez le riz, l'omelette, les crevettes, le porc, les saucisses, les petits pois, les germes de soja et la sauce de soja. Faites revenir jusqu'à ce que le mélange soit bien chaud.

Étalez le riz sur un plateau.

Faites cuire l'omelette.

Glossaire

Amandes
Mondées Épluchées.
Effilées En fines lamelles.

Anis étoilé
Séché, en forme d'étoile,
au goût prononcé d'anis.
Sert en infusion, dans les
desserts, ou les tisanes.
Également appelé
« badiane ».

Bambou (pousses de)
La partie la plus tendre des
jeunes plants de bambou.
On les trouve frais dans les
épiceries fines ou asiatiques,
ou bien en conserve.

Barbecue
Sauce Sauce épicée
à base de tomates servant
à mariner ou à badigeonner
les viandes, ou encore
d'accompagnement.

*Barbecue de porc
(ou de canard) chinois*
Traditionnellement cuit
dans des fours spéciaux.
Le porc est enrobé d'une
sauce sucrée et gluante à
base de sauce de soja, de
xérès, de cinq-épices en
poudre et de sauce hoisin.
Vendu tout prêt dans les
épiceries asiatiques.

Beurre de cacahuètes
Pâte à base de cacahuètes.
Disponible dans les
épiceries asiatiques et
dans les supermarchés.

Bœuf
Pour les recettes
de cet ouvrage, utilisez
de préférence une pièce
de bœuf tendre et maigre.
Filet et rumsteck sont de
tout premier choix, mais
on peut les remplacer par
du faux-filet, de l'entrecôte,
des aiguillettes, de l'aloyau,
de l'onglet, de la bavette
ou encore de la tranche
à fondue, bien que certains
de ces morceaux soient
moins tendres.

Bok choy
Aussi connu sous le nom
de « chou blanc chinois »,
comparable aux blettes.
Ce légume a un goût frais,

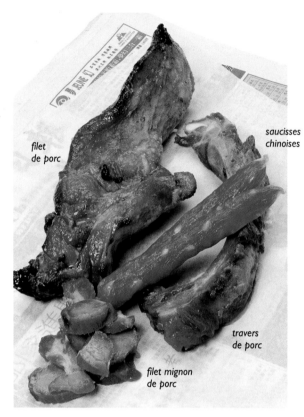

filet de porc

saucisses chinoises

travers de porc

filet mignon de porc

légèrement moutardé.
Excellent sauté ou braisé.
Les pousses de bok choy
sont plus tendres et plus
délicates.

Bouillon
À défaut d'utiliser
du bouillon maison
(voir recette p. 119),
vous pouvez employer
des bouillons cube. 250 ml
équivaut à 1 bouillon cube
dilué dans la même
quantité d'eau (ou à
1 cuillerée à café de
bouillon en poudre).

Brocoli
Doit être coupé en
« fleurs » avant la cuisson.
Les tiges se consomment,
mais nécessitent une
cuisson plus longue.

Brocoli chinois Légume
vert à longues feuilles.
On peut le remplacer
par des blettes.

Cacahuètes
Dans les recettes de
ce livre, il est préférable
d'utiliser des cacahuètes

grillées et non salées.
Voir également Beurre
de cacahuètes.

**Canard chinois
au barbecue**
Voir Barbecue.

Champignons
Muerr Également appelés
« oreilles des bois ».
Vendus séchés. À faire
tremper avant usage pour
les réhydrater.

Shiitake Ces champignons
ont un goût prononcé.
Vendus séchés. À faire
tremper avant usage pour
les réhydrater.

Chapelure
Miettes élaborées avec
du pain vieux d'un ou
deux jours. On trouve
de la chapelure toute
prête dans le commerce.

Chou chinois
Également connu sous le
nom de « chou de Pékin ».
Ressemble un peu à une
romaine, mais son goût est
plus proche du chou vert.

Choy sum
Légume chinois à grandes
feuilles.

Châtaignes d'eau
Appelées aussi « liseron
d'eau ». Fruit à chair blanche
et croustillante, au goût de
noisette, qui ressemble un
peu à nos marrons. Elles
sont meilleures fraîches,
mais on les trouve plus
facilement en boîte.
Se conservent environ
1 mois au réfrigérateur
une fois la boîte ouverte.

Ciboule
Voir Oignons.

Cinq-épices
Mélange parfumé de can-
nelle, clous de girofle, anis
étoilé, poivre du Sichuan et
fenouil. En poudre.

Citronnelle
Herbe longue, touffue, à
l'odeur et à la saveur de
citron. On hache l'extrémité
blanche des tiges. Utilisée
dans de nombreux plats
asiatiques ainsi qu'en tisane.

Colorants alimentaires
Existent sous forme liquide,
en poudre ou en pâte.
Dépourvus de goût, ils
permettent de rehausser
la couleur d'un plat.

Concombres
Dans la cuisine chinoise,
on utilisera de préférence
des petits concombres, plus
croquants, ou, si l'on en
trouve, une variété exotique
appelée « pepinos ».

Coco
Crème Disponible
en boîte ou en berlingot.
En général, on compte
4 mesures de coco pour
1 mesure d'eau.

Lait Lait de coco pur, non
sucré. Existe en boîte et en
berlingot. 2 mesures de lait
pour 1 mesure d'eau.

Coriandre
Aussi appelée « persil
arabe ou chinois », car on
la trouve beaucoup dans
la cuisine nord-africaine
et asiatique.

Fraîche On l'ajoutera au moment de servir pour lui garder toute sa saveur. On utilise les feuilles, les racines, ou les graines, qui n'ont pas du tout le même goût.

Moulue S'utilise moulue ou concassée, comme le poivre.

Crabe

Chair de crabe En conserve ou à partir de crabes frais achetés crus ou cuits. Existe aussi crue, en surgelé.

Curry

Feuilles On les trouve fraîches ou sèches. Elles ont un léger goût de curry. Employées comme les feuilles de laurier.

Pâte Certaines recettes requièrent des pâtes de curry plus ou moins relevées, de la sauce Tikka, assez douce, à la Vindaloo, très épicée, en passant par la Madras, moyennement forte.

Poudre Mélange d'épices moulues. Comporte, dans des proportions diverses, du piment séché, de la cannelle, de la coriandre, du cumin, du fenouil, du fenugrec, du macis, de la cardamome et du curcuma.

Épinards

Chinois Légume à grandes feuilles vertes que l'on trouve dans les épiceries asiatiques. Vendu avec ses racines rouge rosé. Les feuilles et les jeunes pousses sont plus tendres.

Pousses d'épinards Les feuilles sont plus délicates et les tiges fines. Riches en fer, elles sont excellentes crues. Si vous devez les cuire, ne dépassez pas quelques secondes.

Gingembre

Racine aux formes tortueuses d'une plante tropicale. Peut se conserver pelé et couvert de xérès sec dans un bocal au réfrigérateur ou congelé dans un récipient hermétiquement fermé.

Haricots noirs

Haricots de soja salés, fermentés et séchés. Vendus en sachets plastiques ou en conserve, en saumure. Rincez à l'eau froide et égouttez avant usage.

Pâte aux haricots noirs Sauce chinoise à base de haricots de soja fermentés, d'épices, d'eau et de farine de blé.

Hoisin

Voir Sauces.

Hokkien

Voir Nouilles.

Huile

Arachide À base de cacahuètes moulues. C'est la plus utilisée dans la cuisine asiatique parce qu'elle chauffe sans fumée.

Aux piments Confectionnée à partir de piments rouges ultra-forts macérés dans l'huile. Très relevée. Vendue dans les épiceries asiatiques.

Sésame À base de graines de sésame rôties et pilées. Sert plus à parfumer qu'à cuisiner.

Végétale À base de plantes et non de graisses animales.

Huîtres

Voir Sauce aux huîtres.

Maïs

Jeunes épis de maïs Disponibles en conserve, en saumure, dans les épiceries asiatiques, ou frais, dans les épiceries fines.

Crème de maïs Disponible en conserve, au rayon exotique de la plupart des supermarchés.

Maïzena

Farine de maïs. Sert à épaissir.

Noix de cajou

Dans les recettes de cet ouvrage, utilisez de préférence des noix de cajou grillées et non salées.

Nouilles

Au riz, fraîches Larges, épaisses, presque blanches. À base de riz et d'huile végétale. Doivent être couvertes d'eau bouillante pour éliminer l'amidon et l'excédent de graisse. Utilisées dans les soupes ou sautées.

De haricots mung Minces et brillantes, elles sont délicieuses dans les soupes ou les salades, ou bien frites avec des légumes.

De soja Blanches, vendues sous forme de petits paquets ficelés dans les épiceries asiatiques. À consommer dans les soupes, les salades, ou sautées avec des légumes.

Frites Également connues sous le nom de « nouilles frites croustillantes ». En vente au rayon exotique de la plupart des supermarchés.

Hokkien Nouilles de blé fraîches ressemblant à un épais spaghetti brun-jaune. Doivent être précuites avant emploi. Rincez sous l'eau chaude, égouttez, puis séparez à la fourchette.

Instantanées Cuisent en deux minutes. Se vendent en petits paquets avec un sachet d'assaisonnement.

Soba Nouilles japonaises fines à base de sarrasin.

Vermicelles de riz À base de riz moulu. Les consommer soit frites, soit sautées après les avoir fait tremper ou bien dans une soupe.

Oignons

Ciboule Plante vivace voisine de l'oignon à longue tige vert foncé. Ses tiges creuses se consomment surtout crues, tandis que le bulbe s'accommode comme l'oignon de printemps.

De printemps Bulbe blanc, relativement doux, et longues feuilles vertes et croquantes.

Séchés Oignons blancs en fines lamelles et déshydratés, vendus en sachets. Doivent être reconstitués avant usage.

Frits Disponibles en bocal dans les épiceries asiatiques ; servent surtout de garniture.

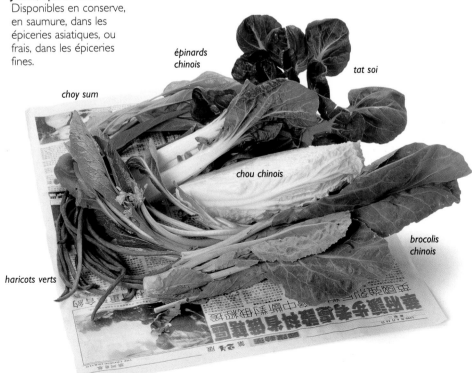

épinards chinois

tat soi

choy sum

chou chinois

brocolis chinois

haricots verts

Piments

Il en existe toutes sortes de variétés, aussi bien frais que secs. Mettez des gants en caoutchouc lorsque vous coupez des piments frais car ils risquent de vous brûler la peau. Ôtez les graines et les membranes pour qu'ils soient moins forts.

Piments thaïs Petits piments frais allongés rouges ou verts ; très forts.

Poudre de piments Variété asiatique la plus épicée ; à utiliser faute de piments frais à raison de 1 demi-cuillère à café de poudre pour 1 piment frais moyen haché.

Sauce aux piments douce Sauce peu épicée, du type thaï, composée de piments rouges, de sucre, d'ail et de vinaigre.

Sauce aux piments épicée Nous employons une variété chinoise composée de piments, de sel et de vinaigre.

Poivrons

Selon qu'ils sont rouges, verts, jaunes ou violet foncé, ils n'ont pas le même goût. Veillez à retirer les graines et les membranes avant de les cuisiner.

Raviolis (pâte à)

Voir Wontons.

Riz

Long grain Ne colle pas à la cuisson.

Galettes de riz Feuilles translucides à base de farine de riz, d'eau et de sel ; à conserver à température ambiante.

Sambal oelek

Condiment d'origine indonésienne, composé de piments broyés, de sel, de vinaigre et de diverses épices.

Sauces

Sauce barbecue chinoise Sauce épaisse douce et sucrée à base de haricots de soja fermentés, de vinaigre, d'ail, de poivre et d'un mélange d'épices. Disponible dans les épiceries asiatiques.

Sauce aux huîtres D'origine asiatique, cette riche sauce brune se compose d'huîtres et de leur saumure, cuites avec du sel et de la sauce de soja, et épaissie avec de l'amidon.

Sauce aux prunes Sauce épaisse, douce et légèrement acidulée, à base de prunes, de vinaigre, de sucre, de piment et d'épices.

Sauce de soja À base de haricots de soja fermentés.

Sauce tandoori À base d'ail, de tamarin, de gingembre, de coriandre, de piments et d'épices.

Sauce hoisin Sauce chinoise épaisse, douce mais épicée, à base de haricots de soja fermentés

et salés, d'oignons et d'ail. Sert pour mariner ou badigeonner ou pour relever viandes et poissons rôtis, grillés ou sautés.

Saucisses chinoises

Fines saucisses de porc sèches, très épicées, d'un rouge vif. La viande est préservée grâce à sa teneur importante en épices. Peuvent être conservées à température ambiante.

Sésame (graines de)

Proviennent d'une plante tropicale appelée *Sesamum indicum*. Pour les faire griller, étalez-les bien dans un plat allant au four et faites-les cuire un court instant au four à température modérée.

Sichuan

Mélange du Sichuan Mélange en poudre d'ail, de sucre, de gingembre, de paprika, d'oignon, de poivre, de ciboule et de poivron rouge.

Poivre du Sichuan Parfois appelé « poivre chinois ». Petits grains brun-rouge au goût citronné.

Soja (sauce de)

À base de haricots de soja fermentés. On trouve des sauces plus ou moins concentrées. Les plus légères sont souvent très salées.

Épaisse Utilisée autant pour sa couleur que pour sa saveur.

Légère Plus claire, mais généralement assez salée.

Tat soi

Chou chinois plat, plus tendre que le bok choy. Développé pour pousser près du sol afin qu'il soit protégé du gel.

Tofu

Pâté de soja (les graines de soja sont trempées, puis écrasées, bouillies et amalgamées). De couleur blanc cassé, il ressemble un peu à du lait caillé. On trouve du tofu frais dans les épiceries exotiques et au rayon diététique.

Ferme À base de pâte de soja compressée.

Frit Vendu en sachet. Cubes de pâte de soja sautés, bruns et croustillants.

Mou Employé principalement dans les soupes.

Vinaigres

Blanc À base d'alcool de sucre de canne.

De riz À partir de riz fermenté, additionné de sucre et de sel. Incolore.

Wonton (pâte à)

Petits ronds de pâte séchée servant à préparer les raviolis. On peut y substituer des galettes de riz pour rouleaux de printemps ou pâtés impériaux.

Xérès

Vin blanc sec de la région de Jerez consommé en apéritif et employé en cuisine.

pâte à rouleaux de printemps et pâtés impériaux

pâte à wonton

galettes de riz

Index

Préparer des bouillons maison

Ces recettes peuvent être préparées 4 jours à l'avance et conservées, à couvert, au réfrigérateur. N'omettez pas d'ôter la graisse en surface lorsque vous sortez le bouillon refroidi. Si vous souhaitez le garder plus longtemps, mieux vaut le congeler en petites quantités.

On peut aussi se procurer du bouillon en boîte ou en berlingot, ou bien en utiliser en cube ou en poudre. Sachez qu'une cuillère à thé de bouillon en poudre ou un petit cube écrasé mélangé à 250 ml d'eau donnera un bouillon relativement fort. Prenez garde au sel et aux graisses contenus dans ces préparations toutes faites.

Toutes les recettes de bouillon figurant ci-dessous donnent environ 2,5 litres.

Bouillon de bœuf

2 kg d'os de bœuf garnis de viande

2 oignons moyens (300 g), hachés

2 branches de céleri, émincées

2 carottes moyennes (250 g), tranchées

3 feuilles de laurier

2 c. c. de poivre noir

5 l d'eau

3 l d'eau, supplémentaires

Mettez les os et les oignons hachés non pelés dans un plat allant au four. Faites cuire à four chaud pendant 1 heure environ, ou jusqu'à ce que os et oignons soient bien brunis. Transférez-les dans une grande casserole, ajoutez le céleri, les carottes, les feuilles de laurier, le poivre et l'eau. Laissez mijoter, sans couvrir, pendant 3 heures. Ajoutez le reste de l'eau, laissez frémir encore pendant 1 heure sans couvrir. Passez.

Bouillon de poule

2 kg d'os de poulet

2 oignons moyens (300 g), émincés

2 branches de céleri, tranchées finement

2 carottes moyennes (250 g), tranchées finement

3 feuilles de laurier

2 c. c. de poivre noir

5 l d'eau

Mélangez tous les ingrédients dans une grande casserole. Laissez mijoter, sans couvrir, pendant 2 heures. Passez.

Bouillon de légumes

2 grosses carottes (360 g), tranchées

2 gros navets (360 g), tranchés

4 oignons moyens (600 g), tranchés

12 branches de céleri, tranchées

4 feuilles de laurier

2 c. c. de poivre noir

6 l d'eau

Mélangez tous les ingrédients dans une grande casserole. Faites mijoter pendant 1 h 30 sans couvrir. Passez.

• MARABOUT CHEF •

Traduction et adaptation de l'anglais par :
Sabine Boullongne et Élisabeth Boyer

Packaging :
Domino

Relecture :
Aliénor Lauer

Marabout
43, quai de Grenelle — 75905 Paris Cedex 15

Publié pour la première fois en Australie
en 1978 sous le titre :
Chinese Cooking Class Cookbook.

Dépôt légal n° 72585 / avril 2006
ISBN : 2501047281
4096715 / 02

Imprimé en Espagne par
Gráficas Estella.